DINOSAURIOS

CONOCE A LOS REYES DEL **MUNDO PREHISTÓRICO**

Parragon

Bath • New York • Cologne • Melbourne • Delhi
Hong Kong • Shenzhen • Singapore • Amsterdam

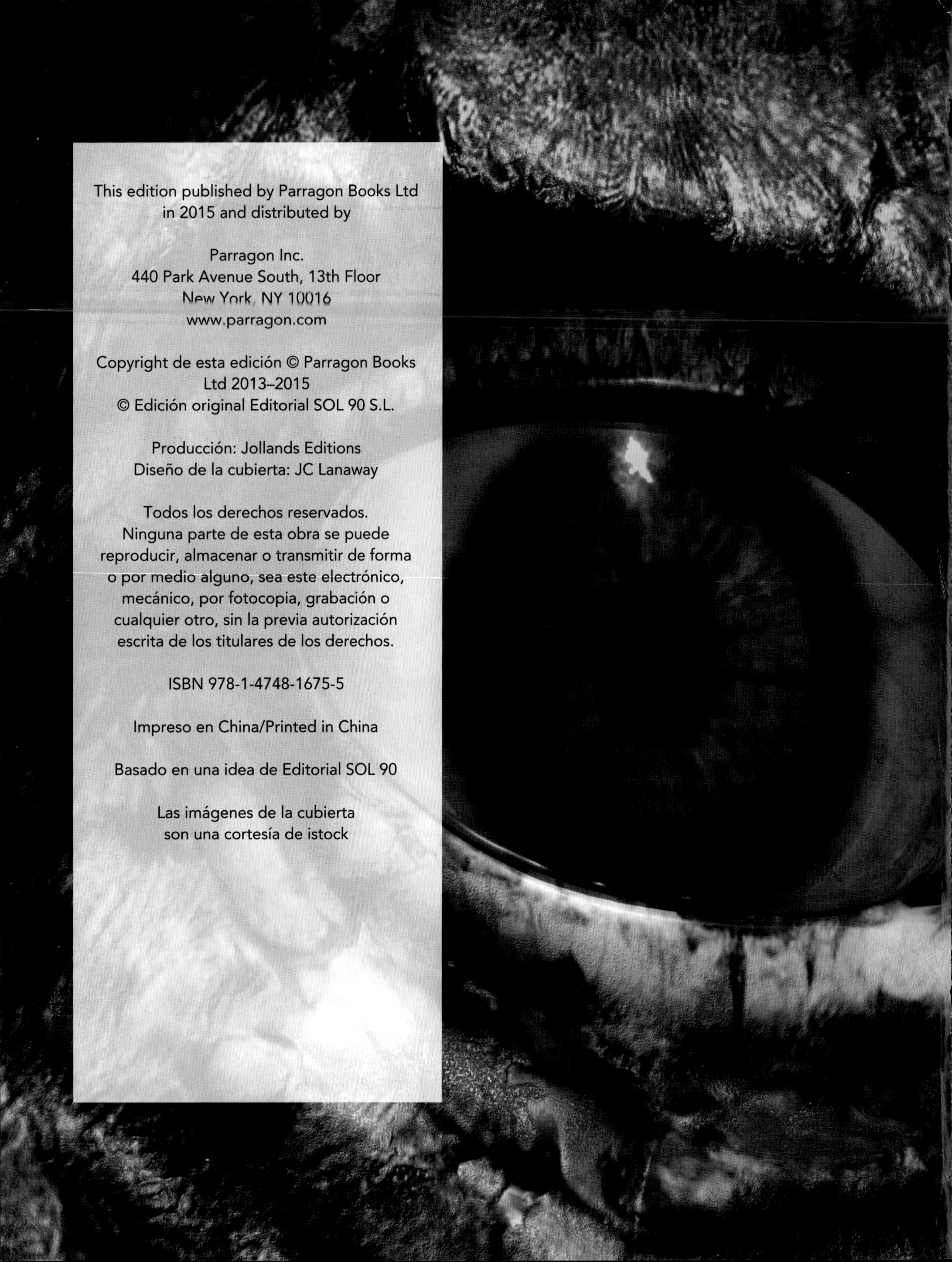

This edition published by Parragon Books Ltd
in 2015 and distributed by

Parragon Inc.
440 Park Avenue South, 13th Floor
New York, NY 10016
www.parragon.com

Producción: Jollands Editions
Diseño de la cubierta: JC Lanaway

ISBN 978-1-4748-1675-5

Impreso en China/Printed in China

Basado en una idea de Editorial SOL 90

Las imágenes de la cubierta
son una cortesía de istock

ÍNDICE

Introducción

Desde que se hallaron los primeros huesos de dinosaurio, hace unos doscientos años, esos animales extinguidos no han dejado de despertar curiosidad. El término *dinosaurio* viene de dos palabras griegas que significan «dragón espantoso». Lo acuñó el paleontólogo británico sir Richard Owen, en 1842. Los paleontólogos estudian los fósiles y otros hallazgos prehistóricos para saber más acerca de cómo evolucionó nuestro planeta. Cada fósil es una nueva pista, y a partir de esas pistas los científicos pueden averiguar cómo se vivía en la prehistoria.

Nuestro planeta se formó hace 4600 millones de años, y los primeros seres vivos aparecieron unos 1200 millones de años después. Al principio eran organismos unicelulares que se originaron en el agua, luego se fueron convirtiendo en pluricelulares, y poco a poco salieron de ríos y mares a tierra firme.

Los dinosaurios existieron en un período conocido como «Mesozoico». Al principio vivían en el supercontinente Pangea, por entonces la única masa continental del planeta. Poco a poco se multiplicaron y se diversificaron muchísimo, hasta convertirse en la forma de vida más común en tierra firme. Gigantescos herbívoros (que se alimentaban de plantas) como el *Brachiosaurus* y voraces predadores como el *Giganotosaurus* deambulaban por la Tierra. Pero al final del Mesozoico, hace unos 65 millones de años, los dinosaurios habían desaparecido de la faz de la Tierra, y los científicos aún no se ponen de acuerdo sobre qué pudo provocar esa extinción masiva.

Durante mucho tiempo los paleontólogos estuvieron convencidos de que los dinosaurios eran animales lentos que tenían un comportamiento similar al de algunos reptiles de hoy día. Sin embargo, los hallazgos más recientes indican que muchos de ellos eran rápidos y activos, probablemente vivían en manadas y recorrían grandes distancias.

Algunas impresiones de piel de dinosaurio revelan asimismo que algunos de ellos tenían plumas. Ese gran descubrimiento fue una de las pistas que permitieron relacionar los dinosaurios con las aves. El estudio de los dinosaurios no ha dejado de despertar el interés de los expertos y del público en general, y, por mucho que se avance en el campo de la paleontología, siempre quedarán preguntas sin respuesta y siempre habrá cosas nuevas por descubrir.

BRACHIOSAURUS
Un herbívoro gigantesco que vivió hace unos 150 millones de años.

El origen de la vida

Los científicos dividen el tiempo en eras geológicas para acotar los hechos que se han producido a lo largo de la historia y desentrañar los secretos de la vida en la Tierra. Las eras se dividen a su vez en períodos, épocas y edades. Estos son espacios de tiempo más reducidos que pueden precisarse más claramente.

ERA PRECÁMBRICA

El Precámbrico abarcó más de 4000 millones de años. Empezó cuando la roca líquida, la lava, comenzó a formar la corteza sólida de la Tierra. Más adelante, hace unos 2100 millones de años, empezó a formarse oxígeno en la atmósfera.

ERA PALEOZOICA

El Paleozoico se inició con la aparición de vida en los océanos de la Tierra y terminó con la mayor destrucción de especies de la historia: desapareció casi el 90 % de la vida marina. En el Paleozoico se desarrollaron en tierra reptiles, anfibios e insectos.

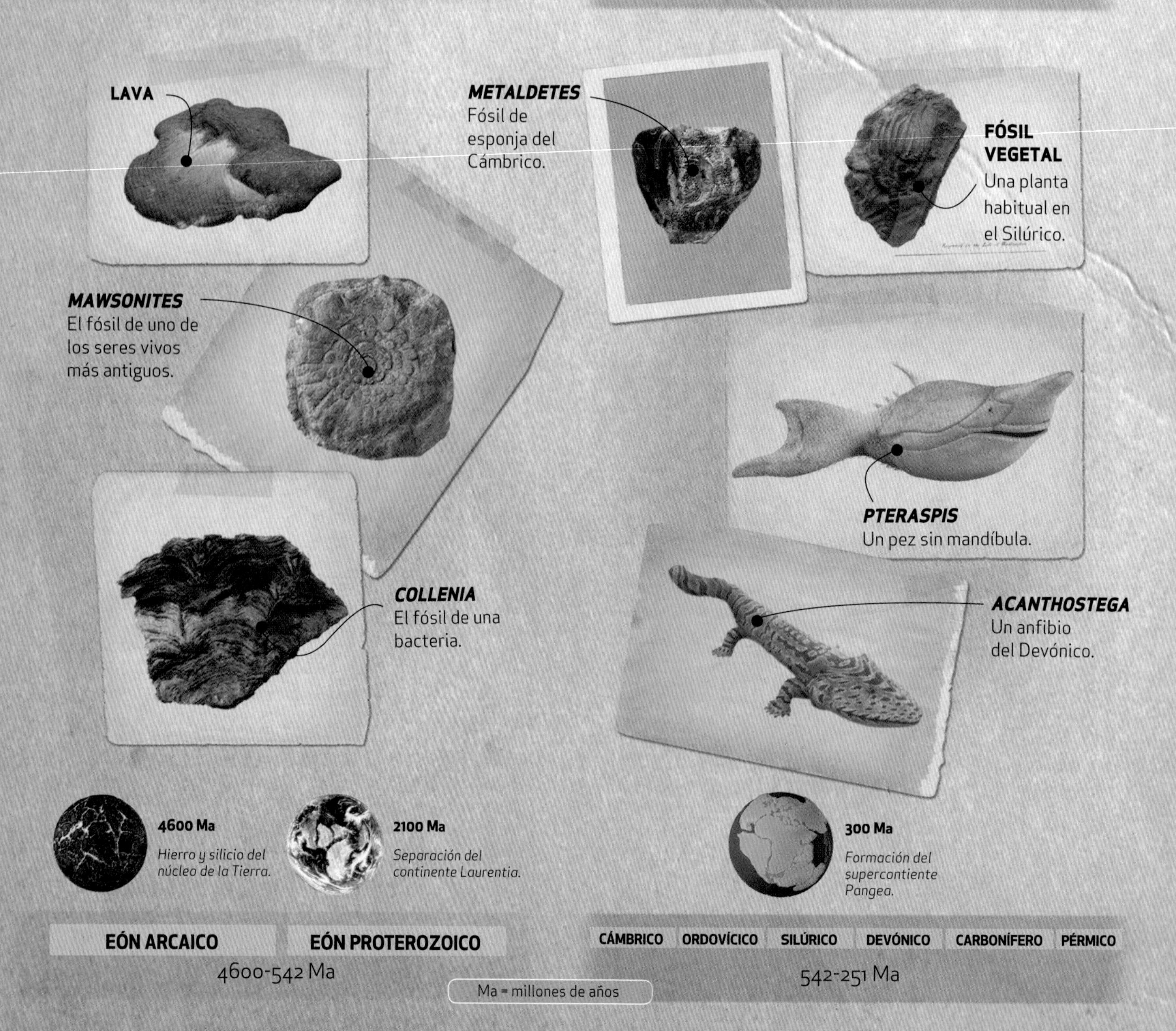

4600 Ma
Formación de la Tierra

3400 Ma
Aparición de la primera bacteria (organismo unicelular)

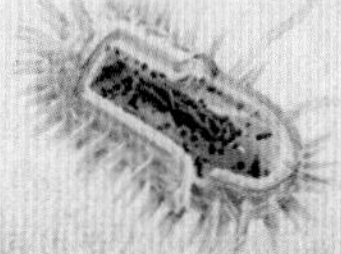

2100 Ma
Formación de oxígeno en la atmósfera

700 Ma
Primeros animales pluricelulares

PRECÁMBRICO | **PALEOZOICO** | **MESOZOICO** | **CENOZOICO**

CRONOLOGÍA

Durante buena parte de la historia los organismos unicelulares fueron la principal forma de vida en la Tierra. Los primeros organismos formados por varias células (pluricelulares) aparecieron hace 700 millones de años.

ERA MESOZOICA

El Mesozoico fue la época de los dinosaurios y otros reptiles, como tortugas, cocodrilos, lagartos y serpientes. Además, aparecieron los primeros mamíferos, aves y plantas de flor. La era mesozoica terminó con la desaparición de muchas formas de vida.

ERA CENOZOICA

En los albores del Cenozoico se extinguieron los dinosaurios. Desde entonces han dominado los mamíferos y se han multiplicado las aves. En la larga historia de la Tierra, los humanos no aparecimos hasta el final de esta era, que continúa.

¿Qué es un dinosaurio?

Los dinosaurios aparecieron hace unos 230 millones de años. Con el tiempo adoptaron una gran variedad de formas y características: los había gigantescos y diminutos, herbívoros y carnívoros. Tenían cuernos, crestas, placas óseas para protegerse y, muchos de ellos, plumas. Los dinosaurios desaparecieron en el Cretácico, pero dejaron unos descendientes con plumas que podían volar: las aves.

Los dinosaurios suelen describirse como reptiles, pero eran distintos de las tortugas, los lagartos y los cocodrilos por su postura corporal: tenían las patas colocadas en vertical por debajo del cuerpo, no a los lados como la mayoría de los reptiles. Además, se mantenían más erguidos y se desplazaban con más rapidez y desenvoltura. Muchas especies se sostenían sobre las patas traseras y andaban y corrían impulsándose con los dedos. Esa eficaz forma de desplazamiento fue una de las claves que les permitieron imponerse ante otros reptiles.

Muchas especies de dinosaurios eran gigantescas. *Argentinosaurus* y *Puertasaurus* se consideran los animales terrestres más grandes que hayan pisado jamás la Tierra: medían casi 35 metros (115 pies) de la punta del morro a la de la cola. Pero no todos los dinosaurios eran tan enormes. Había otros del tamaño de un pollo, como *Scipionyx*, encontrado en Italia, *Microraptor*, hallado en China, y *Ligabueino*, de Argentina.

¡ASOMBROSO!

Se han encontrado fósiles de dinosaurio en los cuatro continentes, se han aislado cientos de especies, y cada año que pasa se descubren más.

CUELLO
Esta parte del cuerpo adoptó una forma de «S».

TYRANNOSAURUS REX
Uno de los carnívoros terrestres más grande de todos los tiempos.

PATAS
La estructura de las patas y las caderas era similar a la de las aves actuales.

EVOLUCIÓN DE LOS REPTILES

La evolución de reptiles a dinosaurios conllevó, sobre todo, un cambio en el tipo de movimiento: de reptante a bípedo (dos pies).

1 REPTILES

Los lagartos tienen las patas a los lados del cuerpo, llevan los codos y las rodillas doblados, y arrastran el vientre por el suelo.

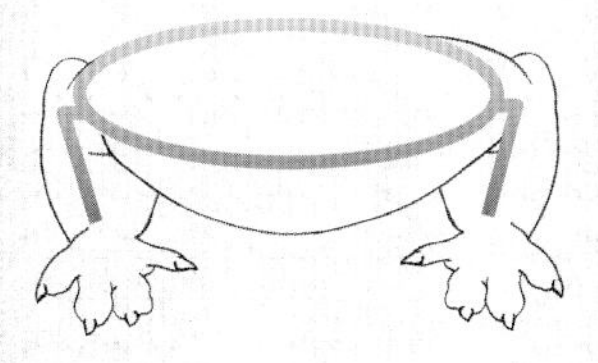

2 SEMIERECTOS

Las patas de los cocodrilos se extienden hacia fuera y hacia atrás, con los codos y las rodillas doblados en un ángulo de 45º. Los cocodrilos se arrastran cuando avanzan despacio y estiran las patas cuando corren.

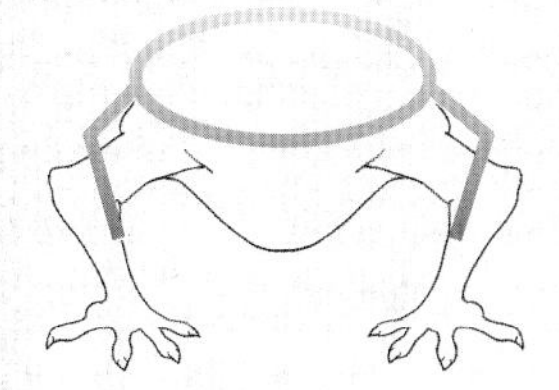

3 BÍPEDOS

Las patas traseras de los dinosaurios eran rectas, de modo que, por muy despacio que anduvieran, nunca arrastraban el cuerpo.

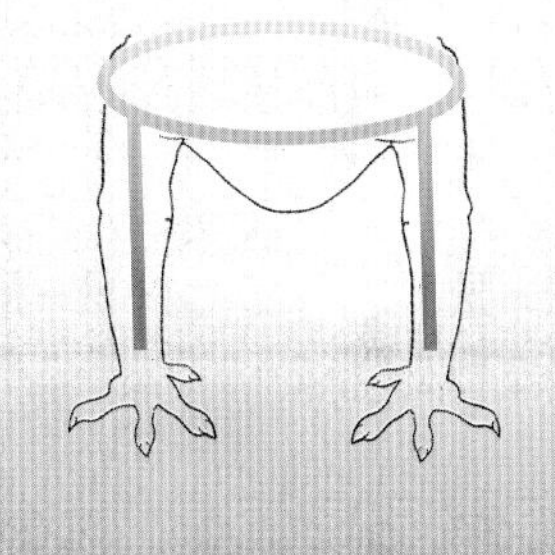

Clasificación

Este diagrama muestra la relación entre los distintos grupos de dinosaurios, partiendo de las divisiones principales (saurisquios y ornitisquios), cuando empezaron a evolucionar a partir de los primeros reptiles del Triásico. A lo largo de los 160 millones de años siguientes evolucionaron en varios grupos distintos.

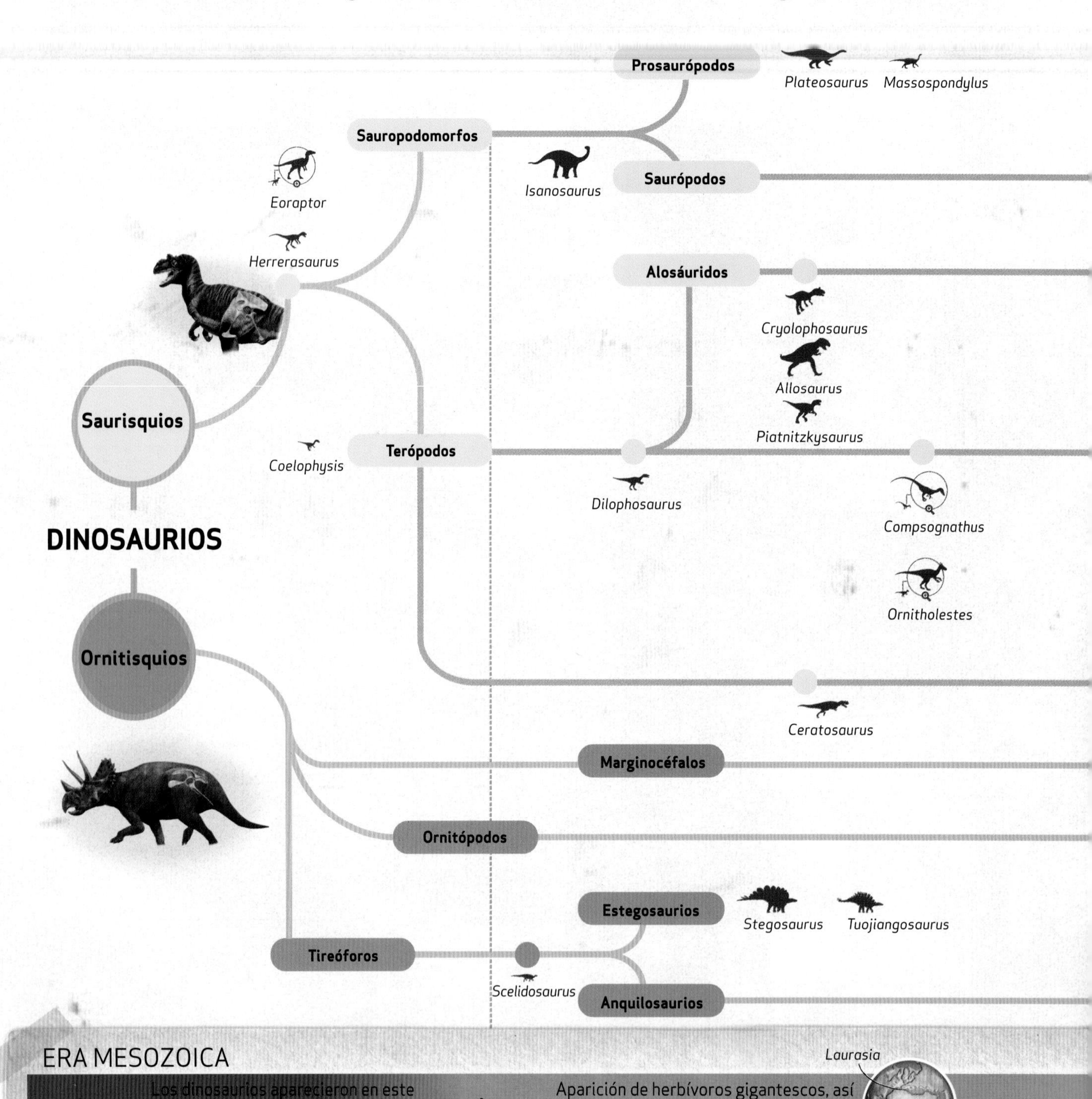

NOMENCLATURA

Los científicos clasifican los seres vivos por grupos relacionados entre sí. Los nombres de esos grupos permiten averiguar a qué categoría pertenecen y qué posición ocupan. Se hace modificando la parte final (el sufijo) de los nombres. Por ejemplo, el sufijo para las superfamilias es «-idos» (tiranosáuridos), y el de las familias, «-ios» (tiranosaurios).

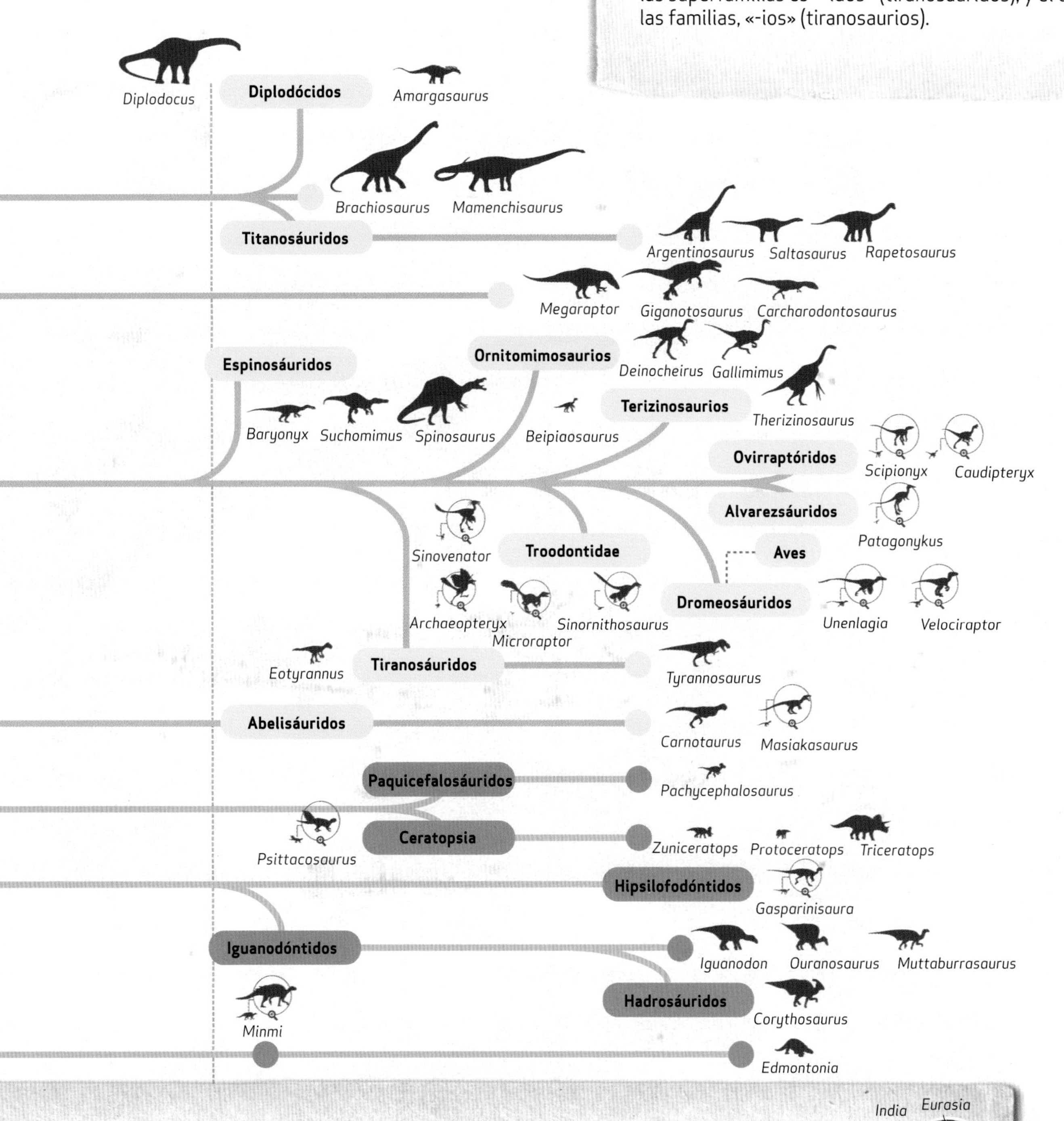

CRETÁCICO
100 Ma

Evolución de grupos dominantes y aparición de nuevas especies. Todos ellos se extinguen al final de este período.

Características anatómicas

Los fósiles de esqueletos, dientes, huellas, huevos y piel proporcionan una gran cantidad de información sobre los distintos tipos de dinosaurios que existían. Los paleontólogos cotejan esa información con datos sobre el entorno de la época y las especies animales actuales para componer una imagen de la anatomía (estructura del cuerpo) de los dinosaurios.

Los esqueletos fosilizados hallados indican que los dinosaurios eran muy parecidos a otros reptiles. Entre las principales similitudes están la estructura ósea, las escamas que les cubrían el cuerpo y la reproducción por huevos recubiertos de una cáscara.

Sin embargo, los dinosaurios tenían muchos rasgos que los diferenciaban de los reptiles, como la adaptación de las patas y las caderas cuando pasaron de arrastrarse a adoptar una postura erguida. El proceso implicó el desarrollo de un sistema muscular nuevo.

Buena parte de la información que tenemos sobre la anatomía de los dinosaurios la aportan sus huesos, que, al ser sólidos, se fosilizaron mejor. También se ha hallado alguna impresión en piedra de piel de dinosaurio. Por esos fósiles sabemos que unos dinosaurios estaban «acorazados» y tenían escamas, mientras que otros, descubiertos recientemente, eran plumados. El estudio de las aves y los reptiles actuales también ha permitido reconstruir la postura corporal de los dinosaurios.

Tendones osificados (fibras flexibles convertidas en un tipo de material óseo)

Tibia (hueso de la espinilla)

ESQUELETO DE *DEINONYCHUS*

Los rasgos principales del carnívoro *Deinonychus* eran similares a los de otros terópodos: cráneo grande, cuello corto y curvado, columna vertebral robusta y patas traseras mucho más largas que las delanteras.

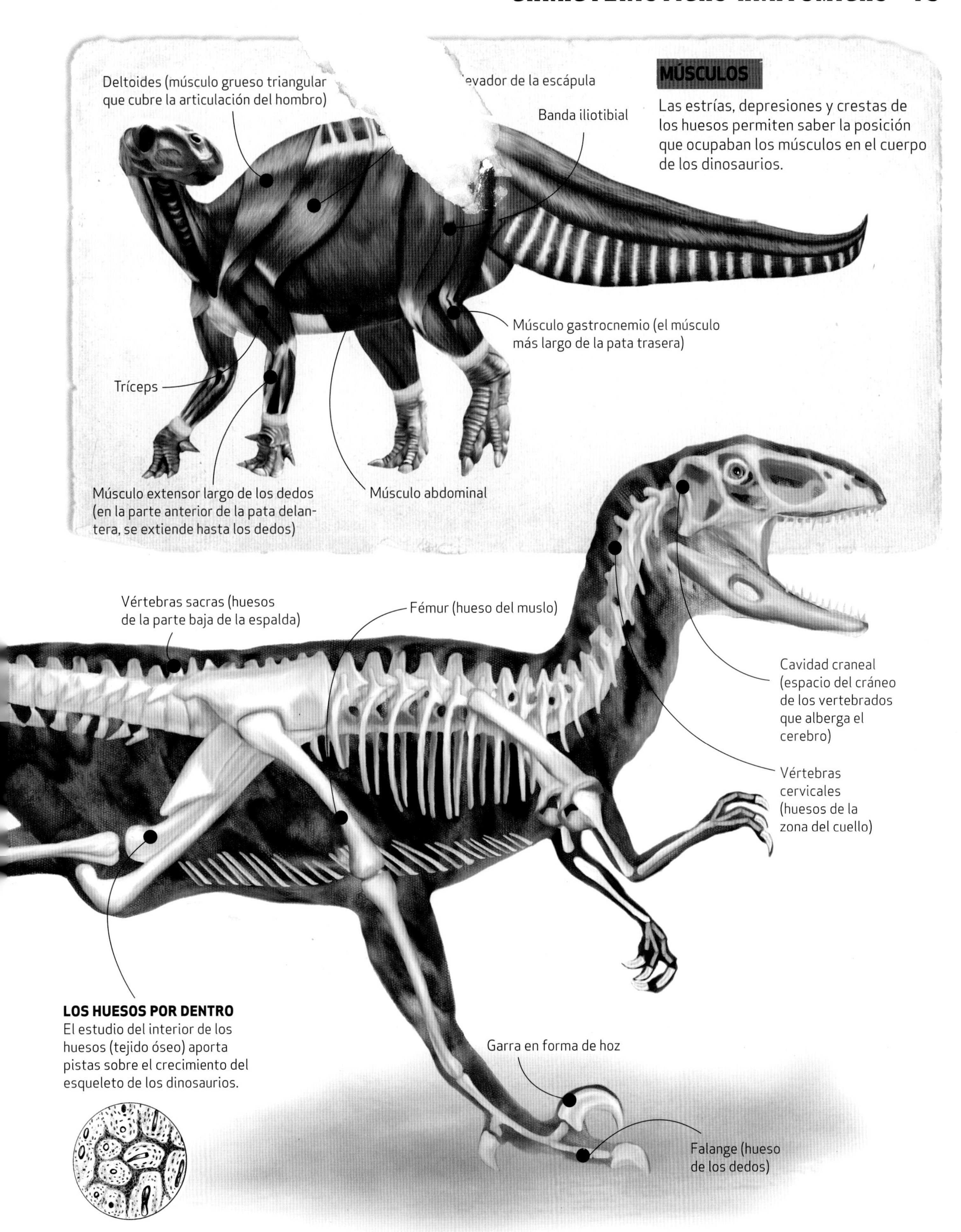

MÚSCULOS

Las estrías, depresiones y crestas de los huesos permiten saber la posición que ocupaban los músculos en el cuerpo de los dinosaurios.

LOS HUESOS POR DENTRO

El estudio del interior de los huesos (tejido óseo) aporta pistas sobre el crecimiento del esqueleto de los dinosaurios.

El dinosaurio por dentro

¡ASOMBROSO!

En los dinosaurios más grandes (los saurópodos), la región comprendida entre la cabeza y el estómago era tan grande que habria cabido un elefante africano en ella.

CENTRO DE CONTROL

El cerebro de los dinosaurios herbívoros era más pequeño que el de los carnívoros. En ambos casos estaba protegido por el cráneo, como en los humanos, y de él partían nervios destinados a captar la información sobre el exterior que proporcionaban los ojos, la nariz, la boca y los oídos. La médula espinal partía del cerebro y se extendía a lo largo de la columna.

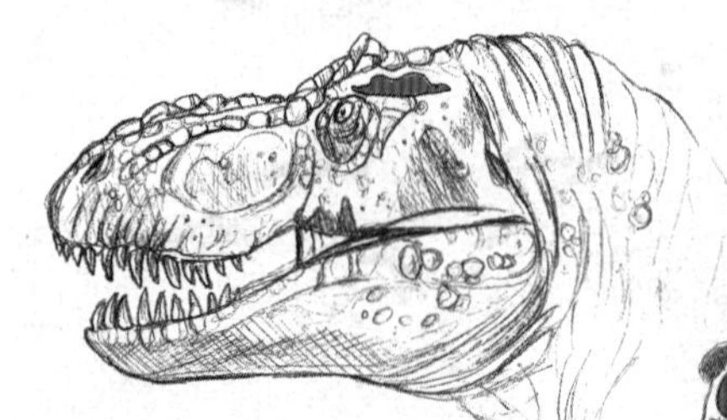

TYRANNOSAURUS REX
El cerebro del tiranosaurio era más pequeño que el de una persona.

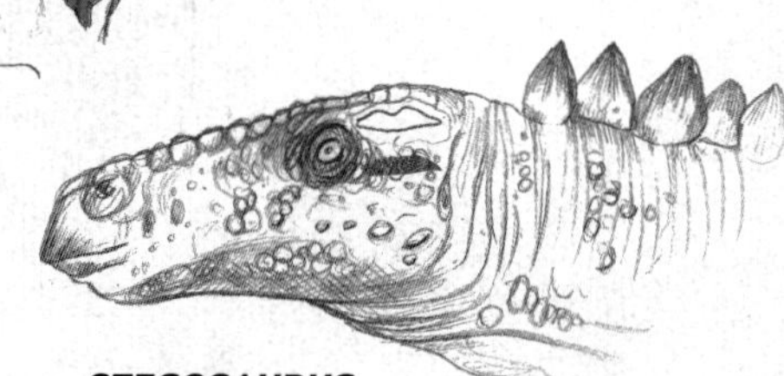

STEGOSAURUS
El cerebro de *Stegosaurus* era del tamaño de una nuez.

TROODON
El cerebro de *Troodon* era de tamaño similar al del *Tyrannosaurus rex*, pero, al ser más grande en comparación con la cabeza, se cree que podía ser un dinosaurio más inteligente.

TAMAÑO Y PESO

Los dinosaurios eran el grupo de reptiles con mayor diversidad de tamaños. Unos, como los *Epidexipteryx*, eran tan pequeños como un gorrión, mientras que los *Argentinosaurus* aún ostentan el récord de los animales terrestres más grandes.

TAMAÑO
Muchos dinosaurios eran pequeños.

COMPARACIÓN DE PESOS
1 elefante africano (5400 kg/12 000 lb) = 15 *Protoceratops*

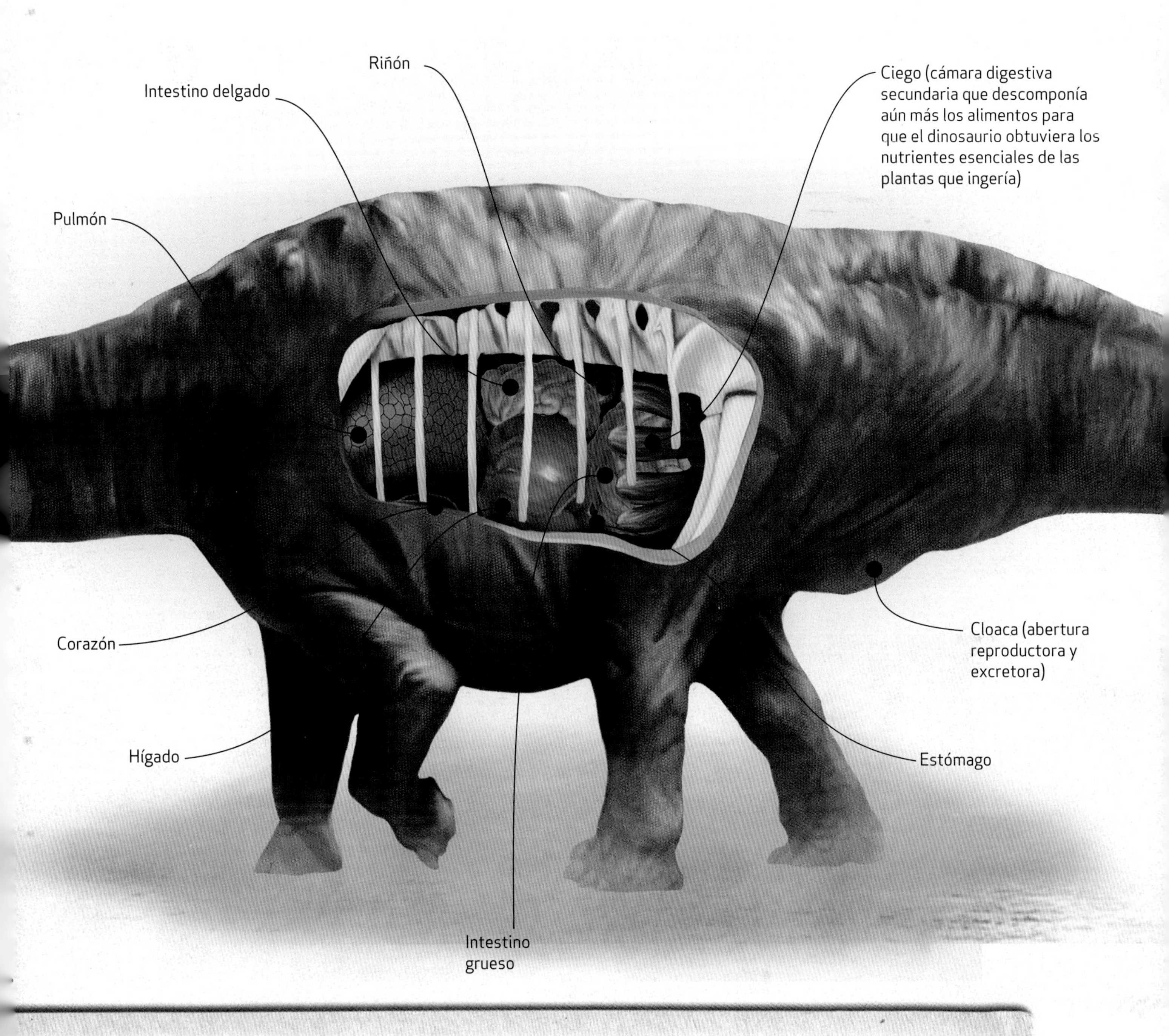

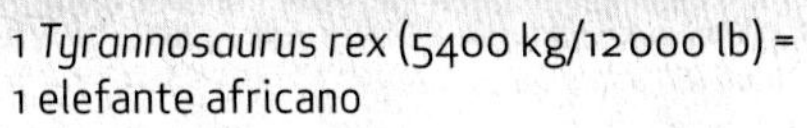
1 *Tyrannosaurus rex* (5400 kg/12 000 lb) = 1 elefante africano

1 *Argentinosaurus* (80 000 kg/180 000 lb]) = 15 elefantes africanos

El mundo de los dinosaurios

Hacia finales del Triásico, cuando muchos reptiles antiguos se extinguieron, los dinosaurios tomaron el relevo. En el Jurásico, los animales más gigantescos jamás vistos en la Tierra se alimentaban de la abundante vegetación. Hace 100 millones de años había dinosaurios de muchos tamaños. Por el aire, el pterosaurus volaba junto a pájaros e insectos como abejas y polillas.

En el Jurásico, los dinosaurios alcanzaron dimensiones colosales. Entre los más grandes estaban los saurópodos (dinosaurios herbívoros), como *Brachiosaurus*. Convivían con especies más pequeñas y rápidas que debían cazar en manada. *Archaeopteryx*, la primera ave conocida, apareció en el Jurásico superior y compartió el cielo con los reptiles voladores que poblaban la Tierra desde el Triásico.

En los mares, ictiosaurios y plesiosaurios convivían con grandes cocodrilos marinos, tiburones, rayas y cefalópodos (moluscos con tentáculos, como el pulpo) muy parecidos a los actuales. El nivel del mar subió en el Cretácico, cuando no habían casquetes polares y buena parte de la tierra estaba cubierta de aguas templadas y poco profundas.

Surgieron formas de vida muy diversas, incluidos mamíferos e insectos, y los dinosaurios siguieron evolucionando de formas muy variadas. Entre ellos se contaban especies con cuernos como *Triceratops* y carnívoros gigantes como *Tyrannosaurus rex*.

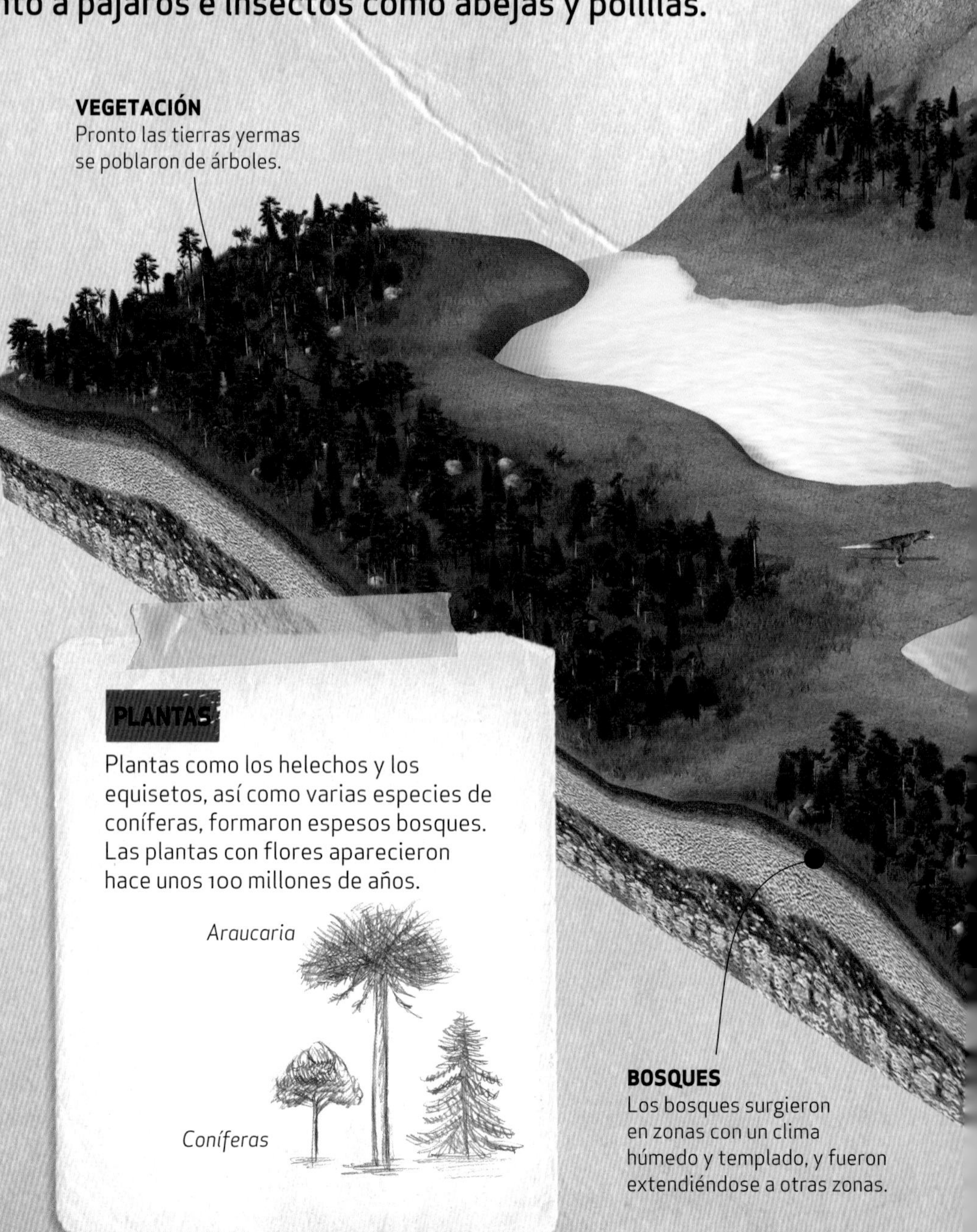

PLANTAS

Plantas como los helechos y los equisetos, así como varias especies de coníferas, formaron espesos bosques. Las plantas con flores aparecieron hace unos 100 millones de años.

EL PAISAJE
El clima templado y húmedo del Jurásico y el Cretácico favorecieron la aparición de una vegetación exuberante y una explosión de vida. Subió el nivel del mar y se formaron mares interiores de aguas someras.

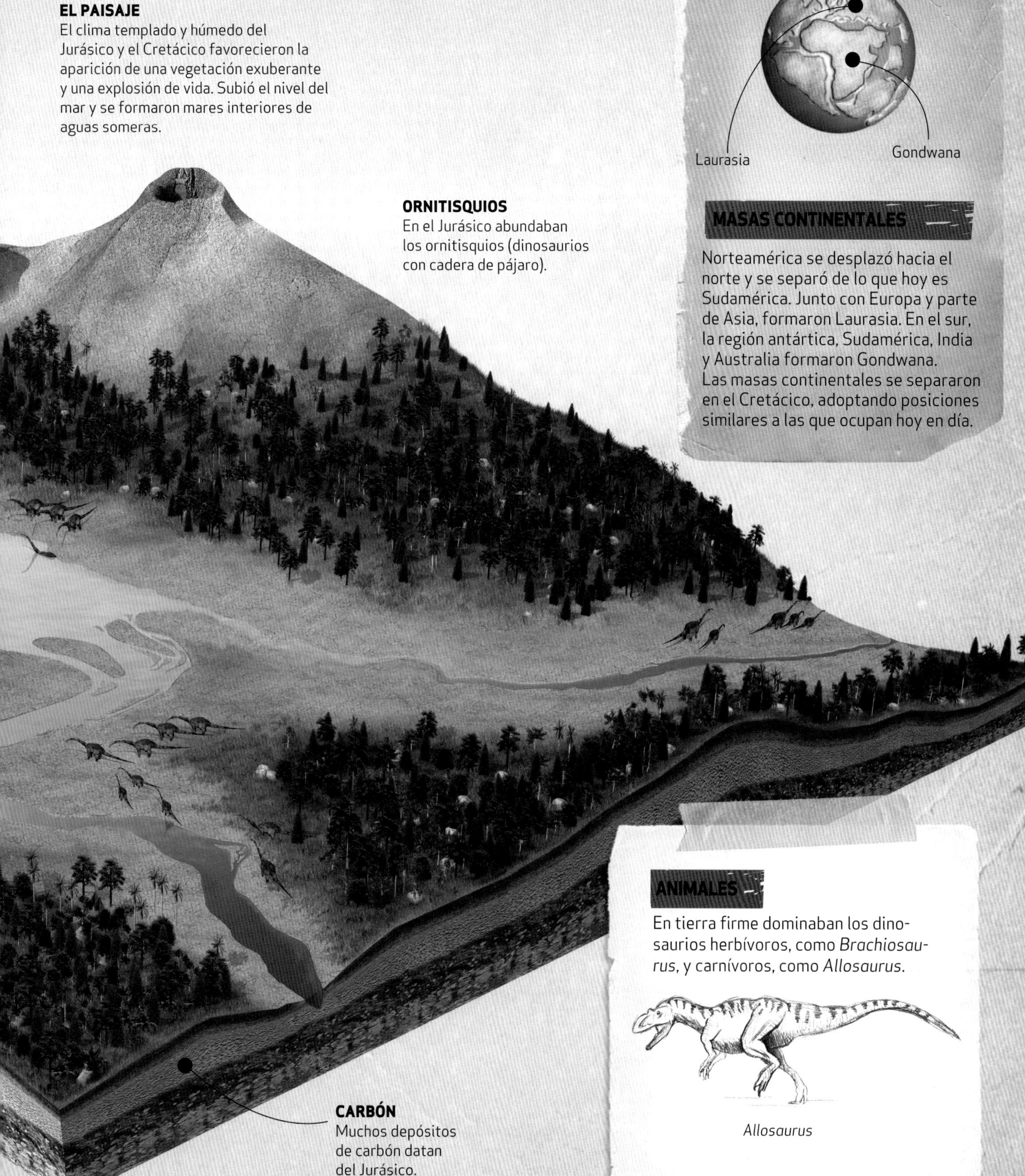

ORNITISQUIOS
En el Jurásico abundaban los ornitisquios (dinosaurios con cadera de pájaro).

CARBÓN
Muchos depósitos de carbón datan del Jurásico.

MASAS CONTINENTALES

Norteamérica se desplazó hacia el norte y se separó de lo que hoy es Sudamérica. Junto con Europa y parte de Asia, formaron Laurasia. En el sur, la región antártica, Sudamérica, India y Australia formaron Gondwana. Las masas continentales se separaron en el Cretácico, adoptando posiciones similares a las que ocupan hoy en día.

ANIMALES

En tierra firme dominaban los dinosaurios herbívoros, como *Brachiosaurus*, y carnívoros, como *Allosaurus*.

Allosaurus

Dilophosaurus

***Dilophosaurus* se hizo mundialmente famoso gracias a la película de 1993 *Parque Jurásico*. Su rasgo principal era la doble cresta de la parte superior del cráneo.**

Dilophosaurus era el miembro más grande de una antigua familia de dinosaurios bípedos que vivieron entre finales del Triásico y principios del Jurásico. Se han hallado restos en África, Norteamérica, Sudamérica, Europa y Asia, lo que demuestra que, cuando se formó el supercontinente Pangea, estaba presente en grandes poblaciones y distintos lugares.

Todos los antepasados de *Dilophosaurus* tenían el cráneo largo y bajo, con muchos dientes, y el morro estrecho. Su cuello era delgado y flexible, lo que significa que podían alargarlo rápidamente para atrapar presas con la boca.

Su nombre significa «reptil de dos crestas» porque su rasgo más llamativo era la compleja estructura de crestas de la cabeza. Eran muy finas, y probablemente les permitían comunicarse y reconocerse entre ellos, del mismo modo que las crestas de los gallos actuales.

A comienzos del Jurásico, *Dilophosaurus* era el predador más peligroso porque por entonces no había otros carnívoros de gran tamaño.

LARGO 6 m (20 pies)
PESO 500 kg (1100 lb)
ALIMENTACIÓN Carnívoro

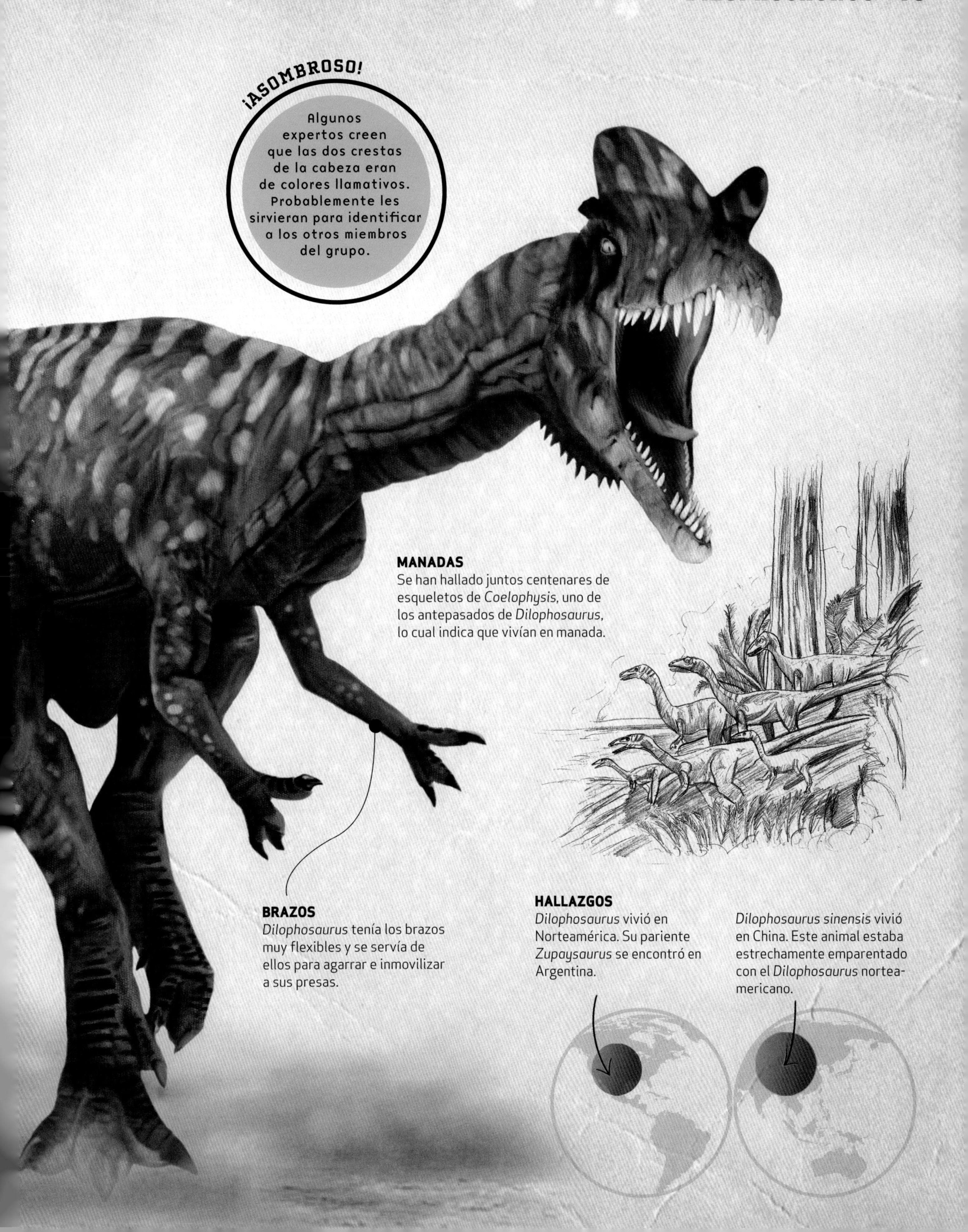

¡ASOMBROSO!

Algunos expertos creen que las dos crestas de la cabeza eran de colores llamativos. Probablemente les sirvieran para identificar a los otros miembros del grupo.

MANADAS
Se han hallado juntos centenares de esqueletos de *Coelophysis*, uno de los antepasados de *Dilophosaurus*, lo cual indica que vivían en manada.

BRAZOS
Dilophosaurus tenía los brazos muy flexibles y se servía de ellos para agarrar e inmovilizar a sus presas.

HALLAZGOS
Dilophosaurus vivió en Norteamérica. Su pariente *Zupaysaurus* se encontró en Argentina.

Dilophosaurus sinensis vivió en China. Este animal estaba estrechamente emparentado con el *Dilophosaurus* norteamericano.

Dilophosaurus

CRÁNEO
El cráneo era alargado, con dos crestas en el medio. Tenía grandes aberturas para las cavidades nasales y los ojos.
¡ASOMBROSO!
Dilophosaurus tenía el cuello largo en forma de «S», como las aves actuales. Cuando detectaba peligro, le mantenía la cabeza en alto para obtener una buena visión del territorio.
CRESTA
La cabeza estaba coronada por dos delicadas crestas. Debían de ser de un color llamativo y servirles para reconocerse entre congéneres.

Stegosaurus

Este dinosaurio acorazado vivió en Norteamérica hace 145 millones de años, pero se han hallado parientes suyos en distintos continentes. *Stegosaurus* se alimentaba de plantas bajas que digería en un gigantesco estómago.

Al principio del Jurásico aparecieron animales pequeños de dos patas llamados tireóforos («portadores de escudos»). Estos dinosaurios eran de constitución parecida a la de las aves que tenían el cuerpo cubierto de placas óseas a modo de armadura. El más conocido es *Scutellosaurus*, cuya piel estaba protegida por diminutos escudos cónicos. Estos animales fueron los predecesores de los estegosaurios y los anquilosaurios, que desarrollaron un cuerpo más grande y una armadura más gruesa y compleja.

Los estegosaurios tenían el cuello, el lomo y la cola acorazados con grandes placas triangulares y espinas. Eran cuadrúpedos y tenían garras en forma de pezuña. El más antiguo fue *Huayangosaurus*, de 3 metros (10 pies) de largo, aunque *Stegosaurus* podía alcanzar los 9 metros (30 pies). *Stegosaurus* tenía cinco dedos en las patas de delante y solo tres en las de detrás. Llevaba la cabeza baja con relación al suelo, por eso solo se alimentaba de vegetación baja.

Las placas del lomo también le servían para reconocer a sus congéneres y exhibirse ante ellos, comunicarse con la manada y, posiblemente, regular la temperatura corporal. Es probable que utilizara los dos pares de largas espinas de la cola como armas.

La cavidad cerebral del cráneo era muy pequeña, pero había una extensa zona de médula espinal en las caderas. Por ello los expertos apuntan a que podría haber tenido un «segundo cerebro».

Estos dinosaurios se extinguieron al comienzo del Cretácico, hace unos 130 millones de años, posiblemente por la competencia de nuevas especies herbívoras.

GÉNERO: STEGOSAURUS
CLASIFICACIÓN: ORNITISQUIOS, TIREÓFOROS, ESTEGOSÁURIDOS

LARGO 9 m (30 pies)
PESO 5000 kg (11 000 lb)
ALIMENTACIÓN Herbívoro

¡ASOMBROSO!

Algunas especies de estegosaurios se defendían atacando con sus colas de pinchos. *Stegosaurus* utilizaba su cola como un arma, golpeando directamente al enemigo.

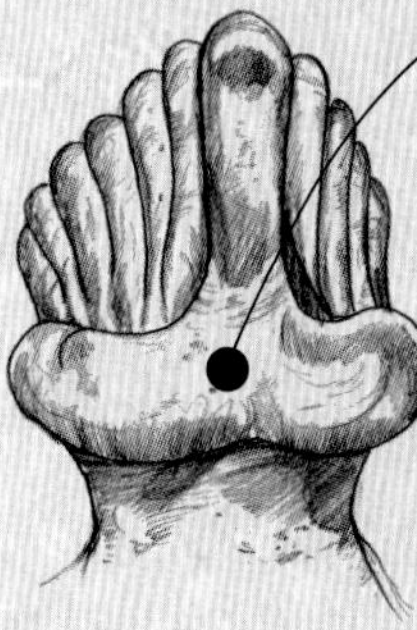

DIENTES
Los dientes de *Stegosaurus* no eran lo bastante grandes ni planos para masticar hojas duras. Así, el animal engullía los alimentos, que luego se descomponían en su sistema digestivo.

ESPINAS DE LA COLA
Las espinas del extremo de la cola apuntaban peligrosamente hacia los lados.

HALLAZGOS
En Estados Unidos se han encontrado fósiles de *Stegosaurus* que datan del Jurásico superior.

En África, Portugal y China también se han hallado fósiles de distintos tipos de estegosaurios entre capas de roca del Jurásico.

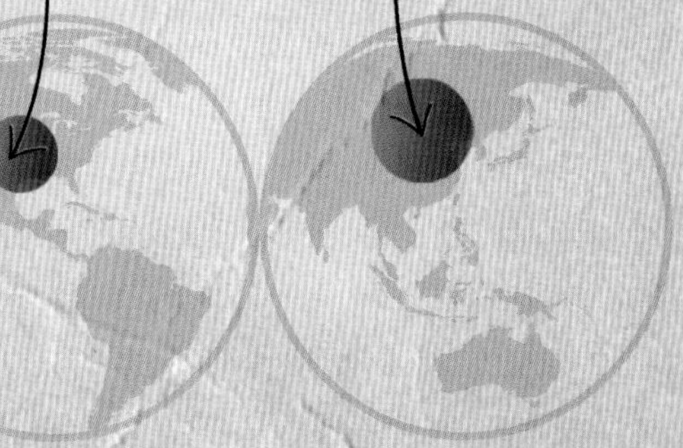

Stegosaurus

ESQUELETO
El lomo era curvado, las patas delanteras, cortas, y la cabeza, pequeña; la llevaban muy baja. La cola era robusta y quedaba bastante por encima del suelo.

Brachiosaurus

Brachiosaurus destacaba entre otros saurópodos gigantescos por tener el cuerpo más grande y redondeado. Asimismo, tenía las patas delanteras más largas que las traseras, lo que hacía que la espalda se le curvara. Ese rasgo le confería un aspecto peculiar.

En 1902 Elmer Riggs descubrió en la Formación Morrison restos fósiles de *Brachiosaurus altithorax* en unas rocas del Jurásico superior. La palabra *Brachiosaurus* indica que sus patas delanteras eran más largas que las traseras, mientras que *altithorax* hace referencia a la elevada posición del tórax con respecto al suelo.

En las reconstrucciones que se han hecho del esqueleto de *Brachiosaurus* se aprecia que tenía las patas delanteras más separadas que los diplodócidos, y el pecho, muy ancho: sus poderosos músculos aguantaban y equilibraban el cuello largo y robusto. Los dientes gruesos en forma de cuchara sugieren que se alimentaba de vegetación dura que arrancaba de las copas de los árboles. *Brachiosaurus* podía levantar la cabeza hasta 10 metros (33 pies) por encima del suelo.

Todo indica que *Brachiosaurus* vivía en manadas y recorría largas distancias en busca de alimento, como los elefantes actuales.

Giraffatitan («jirafa gigante») es el braquiosáurido que mejor se conoce, porque en Tanzania (África) se han encontrado numerosos fósiles de esta especie. Se trata de uno de los dinosaurios más grandes que pisaron la Tierra. Aunque *Giraffatitan* es distinto de *Brachiosaurus*, es posible que tuvieran los mismos hábitos.

GÉNERO: BRACHIOSAURUS
CLASIFICACIÓN: SAURISQUIOS, SAURÓPODOS, MACRONARIOS

LARGO 2,5 m (8,5 pies)
PESO 23 000 kg (50 700 lb)
ALIMENTACIÓN Herbívoro

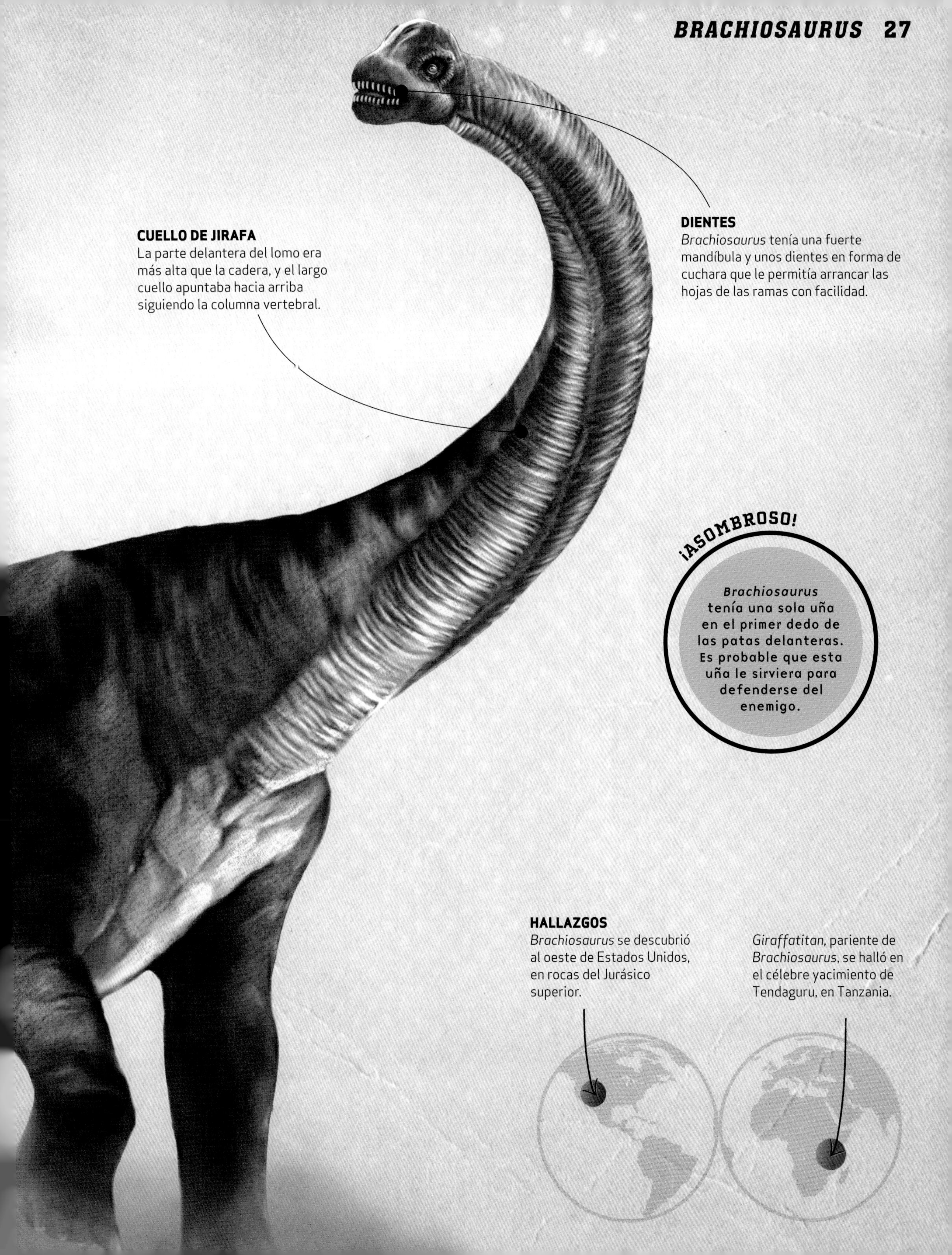

CUELLO DE JIRAFA

La parte delantera del lomo era más alta que la cadera, y el largo cuello apuntaba hacia arriba siguiendo la columna vertebral.

DIENTES

Brachiosaurus tenía una fuerte mandíbula y unos dientes en forma de cuchara que le permitía arrancar las hojas de las ramas con facilidad.

¡ASOMBROSO!

Brachiosaurus tenía una sola uña en el primer dedo de las patas delanteras. Es probable que esta uña le sirviera para defenderse del enemigo.

HALLAZGOS

Brachiosaurus se descubrió al oeste de Estados Unidos, en rocas del Jurásico superior.

Giraffatitan, pariente de *Brachiosaurus*, se halló en el célebre yacimiento de Tendaguru, en Tanzania.

Brachiosaurus

COMIENDO EN LOS ÁRBOLES
Los adultos tenían que comer hasta 180 kg (400 lb) de hojas y brotes al día para mantener su peso.

¡ASOMBROSO!
Las araucarias eran los árboles más altos del Jurásico. *Brachiosaurus* podía levantar su cabeza hasta 10 m (33 pies) por encima del suelo para alcanzarlos.

COLA CORTA
Brachiosaurus tenía la cola corta y andaba sin arrastrarla por el suelo.

PATAS TRASERAS
Al tener el cuello tan largo, es poco probable que tuviera que erguirse sobre las patas traseras para comer.

ESTRUCTURA GIGANTESCA
El cuello ascendía trazando una ligera curva. La enorme caja torácica descansaba sobre sus robustas patas.

Iguanodon

En muchos rincones del mundo se han encontrado fósiles de *Iguanodon*. Esos abundantes hallazgos permiten concluir que vivían en manadas y buscaban comida en grupo.

Iguanodon, que significa «diente de iguana», vivió en Europa en el Cretácico medio, hace unos 125 millones de años. Era un herbívoro grande y robusto que andaba a dos o cuatro patas, apoyando en el suelo unos dedos en forma de hoz.

Los ejemplares adultos medían unos 10 metros (32 pies) de largo, aunque algunos alcanzaban los 13 metros (43 pies). Tenían el cráneo alto, con un hocico estrecho que terminaba en un pico con dientes parecidos a los de una iguana.

Aunque el primer hallazgo de restos de *Iguanodon* se realizó en Inglaterra en 1822, el más extraordinario se produjo en una mina de carbón de Bernissart (Bélgica) en 1878. Allí se recogieron casi 38 ejemplares, lo que permitió al paleontólogo belga Louis Dollo montar varios esqueletos y acumular valiosos conocimientos acerca de estos dinosaurios espectaculares.

Los iguanodontes pertenecen al grupo de los ornitópodos («pie de pájaro»), término que obedece a que muchos dinosaurios de este grupo tienen tres dedos, como las aves.

Los fósiles de ornitópodos de que se dispone se han encontrado repartidos por todo el mundo, incluso en la Antártida. Estos animales surgieron en el Jurásico medio y su población alcanzó su cota máxima en el Cretácico.

Tenían dos antepasados: los hipsilofodóntidos, pequeños y ligeros, y los iguanodontes, más grandes y evolucionados. En general, los hipsilofodóntidos medían menos de 2 metros (6,5 pies) de largo. Eran bípedos y corrían a toda velocidad cuando los atacaban. Tenían la cola larga, con tejidos conectivos rígidos que les ayudaban a mantener el equilibrio cuando corrían.

GÉNERO: IGUANODONTES
CLASIFICACIÓN: ORNITISQUIOS, ORNITÓPODOS, IGUANODÓNTIDOS

LARGO 10 m (33 pies)
PESO 5000 kg (11 000 lb)
ALIMENTACIÓN Herbívoro

¡ASOMBROSO!

Cuando se ensamblaron los fósiles de *Iguanodon* por primera vez, los palentólogos creyeron que el puntiagudo dedo pulgar era un cuerno de la nariz.

MASTICACIÓN
Iguanodon trituraba la comida gracias a la estructura de su pico y mediante el movimiento de la mandíbula.

HALLAZGOS
En Europa se han hallado restos de *Iguano-don*, mientras que el insólito iguanodonte *Ouranosaurus* se descubrió en África.

Iguanodon

DIENTES DE IGUANA
Los dientes de *Iguanodon* estaban dispuestos en largas hileras a los lados de la boca. Se parecían a los de las iguanas actuales, pero eran mucho más grandes.

MANOS
Las manos de *Iguanodon* eran fuertes y rígidas. El gran pulgar le servía para defenderse, mientras que los dedos medios aguantaban el peso del cuerpo. El dedo exterior también podía girar hacia los otros dedos como el pulgar de los humanos.

CADERA
La parte frontal de los huesos estaba inclinada hacia atrás.
¡ASOMBROSO!
La posición de la cadera facilitaba el desarrollo del sistema digestivo, ya que podía albergar un estómago más grande y, por tanto, favorecer la digestión.
PATAS
Iguanodon caminaba a cuatro patas, aunque podía correr y erguirse con las traseras para alcanzar las plantas más altas o enfrentarse a sus rivales y depredadores.

Giganotosaurus

Como su nombre indica, *Giganotosaurus* era un animal gigantesco, uno de los dinosaurios carnívoros más grandes que hayan pisado la Tierra. Vivió en Sudamérica hace unos 90 millones de años.

Este «reptil gigante del sur» era enorme: su esqueleto medía 13,5 metros (45 pies) de largo, con un cráneo de 1,8 metros (6 pies). La gran boca estaba equipada con unos dientes tan afilados que de un solo mordisco podía desgarrar a una presa. El peso de su cuerpo y el tamaño de sus patas revelan que era lento y pesado, de modo que no podía correr para atrapar a sus presas. Pero como cazaba titanosaurios, que tampoco corrían mucho, eso no suponía un gran inconveniente.

Pertenece a un grupo de grandes dinosaurios terópodos conocido como «carcarodontosáuridos», del que forman parte los predadores terrestres más grandes. El más antiguo, *Concavenator*, se descubrió en España, en unas rocas de 130 millones de años. Medía 6 metros (20 pies) de largo, pero algunos de sus parientes posteriores fueron más grandes.

Carcharodontosaurus significa «reptil con dientes de tiburón», y es que estos dinosaurios estaban provistos de unos 70 dientes muy afilados. Con ellos cortaban la carne, aunque probablemente no pudieran triturar huesos. *Giganotosaurus* y los carcarodontosáuridos fueron de los carnívoros principales que poblaron Gondwana entre 125 y 90 millones de años atrás. Sin embargo, la población se fue reduciendo hasta su desaparición definitiva varios millones de años antes de la extinción masiva de finales del Cretácico.

GÉNERO: GIGANOTOSAURUS
CLASIFICACIÓN: TERÓPODOS, TETANUROS, CARNOSAURIOS

LARGO 13,5 m (45 pies)
PESO 8000 kg (17500 lb)
ALIMENTACIÓN Carnívoro

HALLAZGOS
Giganotosaurus se halló en unas rocas del Cretácico en la Patagonia (Argentina).

Carcharodontosaurus se descubrió en Egipto y *Concavenator*, un pariente más pequeño, en España.

Giganotosaurus

¡ASOMBROSO!
La cola de *Giganotosaurus* era fuerte y musculosa. Esto le ayudaba a mantener el equilibrio, le permitía girar el cuerpo con rapidez y atacar de improviso.

Spinosaurus

Spinosaurus, un depredador extraordinario que cazaba en tierra y en el agua, fue uno de los terópodos más gigantescos que habitaron la Tierra.

Algunos paleontólogos creen que *Spinosaurus* era más grande incluso que *Tyrannosaurus rex* y *Giganotosaurus*. Hallazgos en Nigeria, Marruecos, Gran Bretaña y Brasil han arrojado luz sobre la estructura y el comportamiento de estos dinosaurios fascinantes. Otros de sus rasgos notables son un cráneo enorme y la cresta espinosa del lomo de 1,65 metros (5,5 pies) de largo. Un estudio reciente sugiere que la cresta del lomo cubría una gran joroba de grasa, similar a la de los camellos, que habría almacenado energía para sobrevivir en épocas de escasez de agua o comida.

Los espinosáuridos tenían el hocico largo y los dientes cónicos parecidos a los del cocodrilo. Hay muchas pruebas sobre sus hábitos alimentarios. Entre las costillas de fósiles de *Baryonyx* se hallaron restos digeridos de escamas de pescado y huesos, así como los restos de un joven *Iguanodon*. En Brasil se descubrió una marca de dientes de *Spinosaurus* en el hueso del cuello de un pterosaurio. Estas y otras pruebas demuestran que la dieta de los espinosáuridos incluía pescado, crías de dinosaurios herbívoros y reptiles voladores. Al igual que el cocodrilo, *Spinosaurus* detectaba a sus presas bajo el agua mediante unos sensores alojados en la punta del hocico, lo que significa que podía atacarlas aunque no las viera.

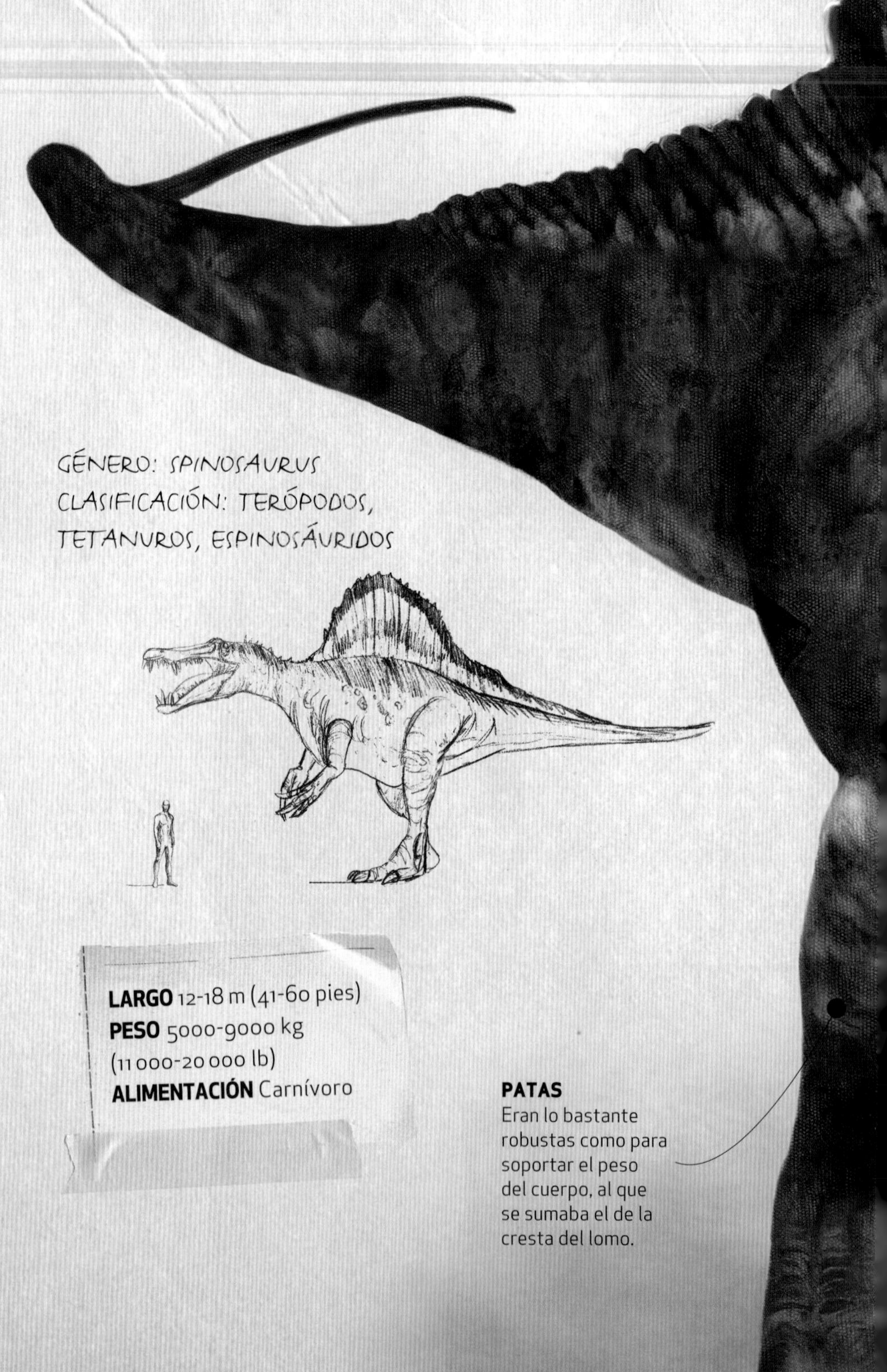

GÉNERO: SPINOSAURUS
CLASIFICACIÓN: TERÓPODOS, TETANUROS, ESPINOSÁURIDOS

LARGO 12-18 m (41-60 pies)
PESO 5000-9000 kg (11 000-20 000 lb)
ALIMENTACIÓN Carnívoro

PATAS
Eran lo bastante robustas como para soportar el peso del cuerpo, al que se sumaba el de la cresta del lomo.

¡ASOMBROSO!

Spinosaurus tenía unos 40 dientes, de los cuales el más largo se hallaba en la punta de su largo hocico; estaban entrelazados, como las dientes de los cocodrilos.

HALLAZGOS

En Brasil se descubrieron cráneos de *Irritator* y *Oxalaia*, dos de los espinosáuridos más grandes.

Baryonyx se encontró en Inglaterra, y los gigantescos *Suchomimus* y *Spinosaurus*, en África.

MANOS

La uña corva y resistente del dedo interior le servía de arma mortífera.

Spinosaurus

CABEZA ALARGADA
Spinosaurus tenía el hocico estrecho, apuntado en forma de gancho y con dientes afilados.

DENTADURA
Los dientes de *Spinosaurus* eran cónicos y menos curvados que los de otros terópodos. Se parecían bastante a los de los cocodrilos actuales.

BRAZOS
Spinosaurus tenía los brazos largos y robustos, muy distintos de los de los tiranosáuridos. Los dedos de sus manos presentaban grandes garras.

VELA
Las espinas que formaban la vela eran enormes: unas diez veces más largas que el diámetro de las vértebras de las que partían.

¡ASOMBROSO!

Spinosaurus era probablemente más grande que *Tyrannosaurus rex*, por lo que es uno de los dinosaurios carnívoros más grandes que hayan existido jamás.

Argentinosaurus

Argentinosaurus es el dinosaurio más grande que ha existido jamás. El estudio de este gigante nos ha ayudado a entender mejor los enormes saurópodos herbívoros.

Argentinosaurus huinculensis se llamó así por la Formación Huincul, situada en el sudoeste de Argentina, donde los paleontólogos hallaron su fósil en 1993. El nombre científico del género significa «lagarto de Argentina». Solo se recuperaron partes del esqueleto, entre ellas, varias vértebras y costillas, una tibia y un fémur.

Cuando se descubrió, *Argentinosaurus* despertó una gran curiosidad internacional por su tamaño. Entre los saurópodos de dimensiones similares estarían *Paralititan*, *Supersaurus*, *Sauroposeidon*, *Seismosaurus*, *Alamosaurus* y *Puertasaurus*, y puede que aún queden dinosaurios mucho más grandes por descubrir.

El porqué de su gigantesco tamaño sigue siendo un misterio. Podría deberse al aumento de las temperaturas en el Mesozoico, ya que los reptiles actuales que viven cerca del Ecuador suelen ser más grandes que los de zonas más frías. O bien ser el resultado de una alimentación a base de plantas pobres en nutrientes: para poder digerirlas, los saurópodos habrían tenido que retener las plantas en el estómago y los intestinos durante mucho tiempo. A medida que evolucionaron, sus cuerpos crecieron para albergar aquellos estómagos agrandados.

¡ASOMBROSO!

El esqueleto de *Argentinosaurus* tenía cerca de 230 huesos. Sin embargo, el cuello, a pesar de su gran longitud, solo contaba con 13 vértebras.

COLUMNA VERTEBRAL
Una de las vértebras de *Argentinosaurus* medía 1,6 m (5 pies) de alto y 1,3 m (4 pies) de ancho, lo cual da una idea de las dimensiones de este dinosaurio.

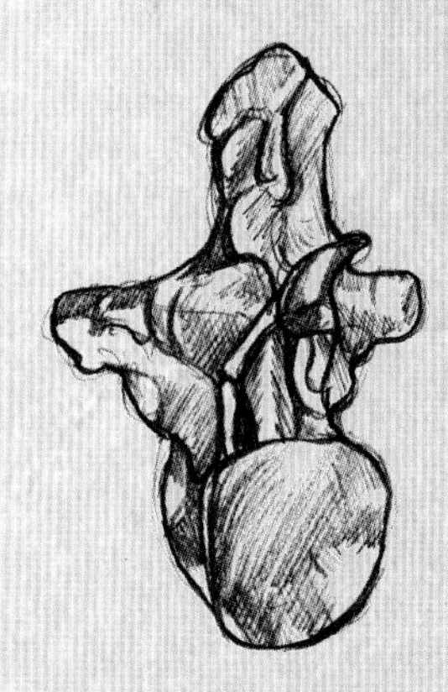

GÉNERO: ARGENTINOSAURIOS
CLASIFICACIÓN: SAURISQUIOS, SAURÓPODOS, TITANOSÁURIDOS

LARGO 30 m (98 pies)
PESO 73 000 (161 000 lb)
ALIMENTACIÓN Herbívoro

HALLAZGOS
Argentinosaurus se halló cerca de Plaza Huincul, ciudad del sudoeste de Argentina.

Los titanosaurios, como *Argentinosaurus*, vivieron en el Cretácico en Sudamérica, Norteamérica, África, Asia y Europa.

Argentinosaurus

PATAS LARGAS
[illegible] (hueso de la espinilla) y un fémur (hueso del muslo) incompleto. La tibia medía 1,5 m (5 pies) y el fémur podría haber alcanzado los 2,4 m (7 pies) de largo.

¡ASOMBROSO!

Desde el hocico hasta el extremo de la enorme cola, *Argentinosaurus* probablemente midiera lo mismo que tres autobuses puestos en fila.

COLA
Tenía la cola más corta que otros saurópodos. Formada por más de 30 huesos, era muy flexible, lo que indica que quizá *Argentinosaurus* pudiera erigirse sobre las patas traseras con más facilidad que algunos de sus parientes.

OSAMENTA LIGERA
Para reducir el peso del esqueleto, el tejido interno de la columna vertebral era esponjoso, con grandes cavidades rodeadas de paredes muy finas.

Tyrannosaurus rex

Tyrannosaurus rex, el tiranosaurio, tenía una cabeza enorme, una dentadura poderosa y afilada y unas patas que le permitían correr a toda velocidad. Este dinosaurio fue uno de los animales más fascinantes de la prehistoria.

Tyrannosaurus rex y sus parientes cercanos, los tiranosáuridos, evolucionaron en el hemisferio norte en el Cretácico superior. Se han hallado esqueletos, dientes y huellas de estos carnívoros en América del Norte y Asia Central.

Los tiranosaurios eran grandes cazadores, y entre sus presas favoritas estaban los ceratópsidos y los hadrosáuridos. Los tiranosáuridos más grandes convivieron con los dromeosáuridos, unos dinosaurios carnívoros pequeños y veloces.

El poder del tiranosaurio residía en sus grandes mandíbulas, a las que daban fuerza los músculos temporales. La forma del cráneo indica que tenía buen olfato, lo que le ayudaría a detectar a sus presas.

Existen varias teorías acerca de los hábitos alimentarios del tiranosaurio. Antes se creía que no era cazador y que solo se alimentaba de carroña. Las patas traseras revelan que podía alcanzar velocidad suficiente como para atrapar animales grandes más lentos que él. Se han hallado esqueletos de *Triceratops* y otros hadrosaurios con grandes marcas de mordeduras que podrían ser de tiranosáuridos. Ello sugiere que el tiranosaurio debía de capturar vivas a sus presas. Sin embargo, también es probable que en los largos períodos de sequía buscara carroña.

¡ASOMBROSO!

Los brazos de *Tyrannosaurus* eran demasiado cortos para capturar a sus presas. Sus diminutas extremidades superiores tenían un tamaño similar al de los brazos de una persona.

GÉNERO: TYRANNOSAURUS
CLASIFICACIÓN: TERÓPODOS, CELUROSAURIOS, TIRANOSÁURIDOS

LARGO 12,5 m (41 pies)
PESO 5000 kg (11 000 lb)
ALIMENTACIÓN Carnívoro

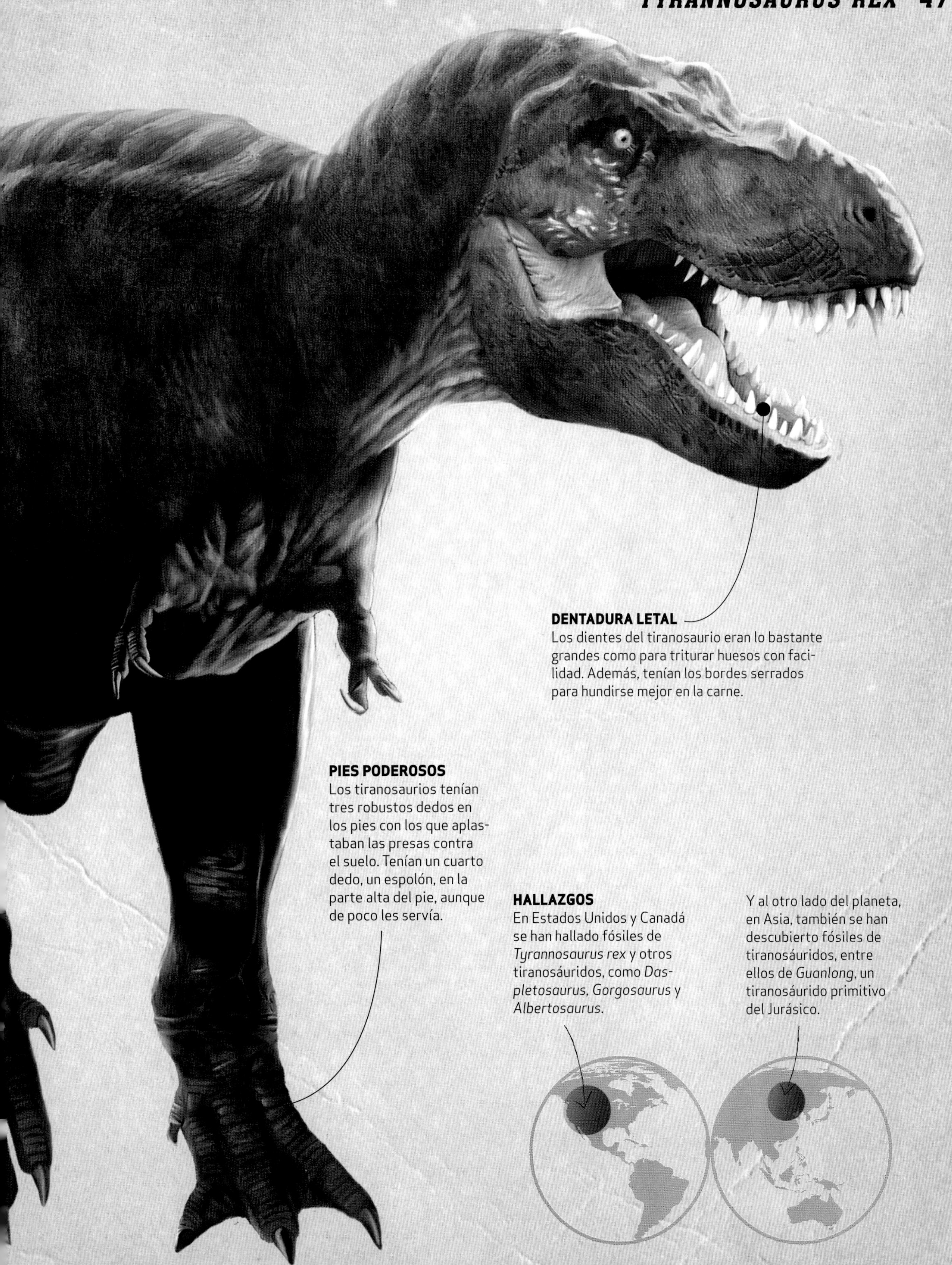

DENTADURA LETAL
Los dientes del tiranosaurio eran lo bastante grandes como para triturar huesos con facilidad. Además, tenían los bordes serrados para hundirse mejor en la carne.

PIES PODEROSOS
Los tiranosaurios tenían tres robustos dedos en los pies con los que aplastaban las presas contra el suelo. Tenían un cuarto dedo, un espolón, en la parte alta del pie, aunque de poco les servía.

HALLAZGOS
En Estados Unidos y Canadá se han hallado fósiles de *Tyrannosaurus rex* y otros tiranosáuridos, como *Daspletosaurus, Gorgosaurus* y *Albertosaurus*.

Y al otro lado del planeta, en Asia, también se han descubierto fósiles de tiranosáuridos, entre ellos de *Guanlong*, un tiranosáurido primitivo del Jurásico.

Tyrannosaurus rex

CRÍAS CON PLUMAS
Es posible que las crías de tiranosaurio nacieran cubiertas de unas plumas similares al pelo que perdían al crecer.

¡ASOMBROSO!
Con una mandíbula enorme y unos dientes de 23 cm (9 pulgadas) de largo, los expertos creen que *Tyrannosaurus rex* devoraba hasta 225 kg (500 lb) de carne de un solo bocado.

UN GRAN CAZADOR
Según parece, el tiranosaurio era tan fuerte que podía abatir a los herbívoros más grandes.

PATAS
Las patas del tiranosaurio eran largas y musculosas. Aunque pesaban mucho, los científicos creen que estos dinosaurios corrían para atrapar a sus presas.

CABEZA ENORME
La cabeza medía 1,4 metros (4,5 pies) de largo, y en la boca había de 50 a 60 dientes.
BRAZOS
Los tenía tan cortos que ni siquiera le llegaban a la boca.

Pachycephalosaurus

Pachycephalosaurus significa «reptil de cabeza gruesa», y es probable que estos dinosaurios se defendieran de sus enemigos precisamente con la cabeza.

Por su cráneo abultado con protuberancias cónicas, quizá *Pachycephalosaurus* sea uno de los dinosaurios de aspecto más chocante. Era bípedo y tenía las extremidades posteriores largas y fuertes, y las anteriores, cortas. Era ancho de caderas, lo que significa que tenía un estómago grande que albergaba y digería gran cantidad de vegetación.

El estrecho pico de la punta de la boca estaba equipado con dientes de distintos tamaños. Los dientes de la punta de la parte superior del hocico eran cónicos y buenos para morder, mientras que los de los lados de las mejillas tenían forma de hoja y los bordes dentados. Se cree que los paquicefalosaurios utilizaban la cabeza como una poderosa arma cuando estaban enzarzados en una pelea. Un cuello robusto aguantaba el impacto de los cabezazos y los golpes laterales. Los paquicefalosaurios están estrechamente emparentados con los ceratópsidos, por lo que también son marginocéfalos. Los dinosaurios de este grupo presentaban una protuberancia por encima de la parte posterior del cuello. En los ceratópsidos consistía en un delicado collar, pero en los paquicefalosaurios se trataba de una serie de bultos cónicos.

En los últimos 20 millones de años del Cretácico, varios marginocéfalos evolucionaron en Norteamérica y Asia. En el oeste de Estados Unidos aparecieron *Pachycephalosaurus* y Stegoceras, y *Homalocephale* y *Prenocephale* en el desierto de Gobi, en Mongolia. La cúpula del cráneo ganaba en altura a medida que el animal crecía, y en los machos era más alta y curvada.

Los ojos de *Pachycephalosaurus* se alojaban en unas cavidades grandes y profundas que los protegían en los combates. Los músculos del cuello eran muy fuertes, y la columna amortiguaba los impactos. Unas anchas caderas ayudaban al animal a mantener el equilibrio.

GÉNERO: PAQUICEFALOSAURIOS
CLASIFICACIÓN: ORNITISQUIOS, MARGINOCÉFALOS, PAQUICEFALOSÁURIDOS

COLA
Pachycephalosaurus tenía una cola muy ancha, con una red de tejidos en la parte distal que incrementaba su fuerza.

LARGO 4,5 m (15 pies)
PESO 450 kg (990 lb)
ALIMENTACIÓN Herbívoro

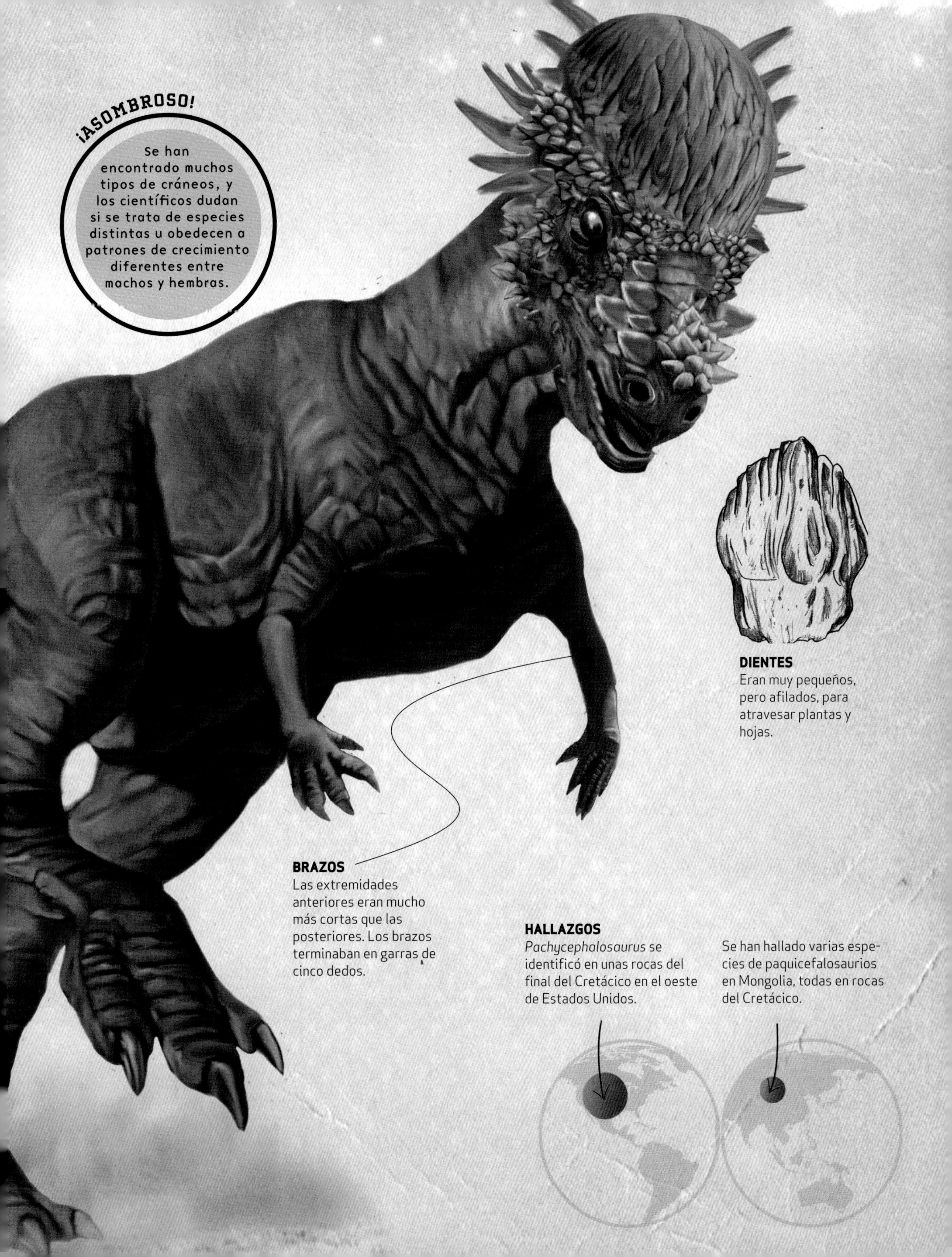
¡ASOMBROSO!
Se han encontrado muchos tipos de cráneos, y los científicos dudan si se trata de especies distintas u obedecen a patrones de crecimiento diferentes entre machos y hembras.
DIENTES
Eran muy pequeños, pero afilados, para atravesar plantas y hojas.
BRAZOS
Las extremidades anteriores eran mucho más cortas que las posteriores. Los brazos terminaban en garras de cinco dedos.
HALLAZGOS
Pachycephalosaurus se identificó en unas rocas del final del Cretácico en el oeste de Estados Unidos.
Se han hallado varias especies de paquicefalosaurios en Mongolia, todas en rocas del Cretácico.

Pachycephalosaurus

PATAS
La forma de los huesos muestra que podían correr a gran velocidad para impactar contra el enemigo.
¡ASOMBROSO!
El cráneo redondeado de *Pachycephalosaurus* medía unos 25 cm (10 pulgadas) de grosor. En su interior había un cerebro diminuto.

Triceratops

Triceratops («cara con tres cuernos») _horridus_ vivió en Norteamérica durante los últimos tres millones de años de la era Mesozoica.

¡ASOMBROSO!

Los cuernos de *Triceratops* volvían a crecer si se desgastaban o se rompían, al igual que los de los toros, búfalos y antílopes actuales.

Triceratops se describió por primera vez en 1889, y desde entonces se han hallado centenares de ejemplares, incluidos especímenes de animales jóvenes y viejos. Este dinosaurio se alimentaba de plantar bajas y duras que cortaba con su fuerte pico y masticaba con sus numerosos dientes. Era un dinosaurio cuadrúpedo incapaz de levantarse sobre las patas traseras. Las extremidades anteriores tenían tres dedos y las posteriores, cuatro, todos ellos con las uñas redondeadas.

Triceratops tenía un cuerno corto sobre las fosas nasales y dos cuernos largos por encima de los ojos. Los cuernos formaban parte de la estructura ósea del cráneo, aunque el hueso estaba recubierto de una capa córnea.

Como todos los ceratópsidos, *Triceratops* tenía una gran prolongación ósea en la parte posterior del cráneo que le protegía la delicada zona del cuello. Diversos estudios realizados demuestran que los cuernos le servían de arma defensiva contra sus depredadores, como *Tyrannosaurus rex*. Sin embargo, en el caso de dinosaurios como *Styracosaurus* eran muy delgados, por lo que no les habrían servido para luchar. Se han hallado cráneos de *Triceratops* jóvenes y adultos. Los ejemplares de los jóvenes ya tenían desarrollados los cuernos y la gola, pero con el tiempo los cuernos crecían en longitud y también en grosor. La gola ósea del cuello crecía hacia atrás e iba perdiendo grosor.

Tanto los cuernos como la gola debieron de permitir a los padres reconocer a sus crías, ya que los distintos ejemplares estudiados presentaban cuernos y coronas de formas y tamaños distintos. Asimismo, puede que también los ayudaran a imponerse a otros *Triceratops* y a encontrar pareja.

GÉNERO: TRICERATÓPSIDOS
CLASIFICACIÓN: ORNITISQUIOS, MARGINOCÉFALOS, CERATÓPSIDOS

LARGO 9 m (29 pies)
PESO 12 500 kg (26 500 lb)
ALIMENTACIÓN Herbívoro

GOLA ÓSEA
El gigantesco cráneo medía unos 2,5 m (8 pies) de largo, y la parte posterior se extendía hacia atrás para ofrecer protección al cuello.

MANDÍBULAS PICUDAS
Triceratops tenía unas poderosas mandíbulas terminadas en un pico.

HALLAZGOS
Triceratops se ha hallado solo en Norteamérica. En otras partes del mundo se desconoce.

En Asia se han hallado parientes lejanos de *Triceratops*, la mayoría de ellos sin cuernos.

Triceratops

CARA CON TRES CUERNOS
Triceratops significa «cara con tres cuernos». Además de los cuernos, *Triceratops* tenía numerosas pequeñas espinas alrededor de la gola que le cubría el cuello.

DIENTES
Los dientes de *Triceratops* se distribuían en grupos llamados «baterías». ¡Los ejemplares grandes podían tener 800!

¡ASOMBROSO!
Triceratops siempre andaba a cuatro patas y tenía la cola muy corta, ya que no la necesitaba para mantener el equilibrio.

PATAS DELANTERAS
Las robustas patas delanteras soportaban el peso de la parte frontal del cuerpo y proporcionaban fuerza añadida en el ataque.

Corythosaurus

***Corythosaurus* vivió en grandes manadas en lo que hoy es Canadá. Es un hadrosaurio, un dinosaurio «pico de pato», y sus restos se hallaron en rocas de más de 76 millones de años.**

LARGO 10 m (33 pies)
PESO 4000 kg (8800 lb)
ALIMENTACIÓN Herbívoro

El paleontólogo Barnum Brown puso el nombre de *Corythosaurus* a este dinosaurio porque su cresta recordaba al penacho del casco de los soldados corintios de la antigua Grecia. El norteamericano descubrió los primeros restos de *Corythosaurus* en Canadá. El esqueleto estaba prácticamente completo, e incluso se había fosilizado la piel de un lado del cuerpo.

Los hadrosaurios conformaban el grupo de herbívoros más extendido a finales del Cretácico, sobre todo en Norteamérica y Asia, aunque también se han hallado fósiles en otras partes del mundo. Los hadrosaurios tenían el hocico largo, parecido a un pico de pato. En las mandíbulas les crecían numerosos dientes agrupados en baterías con los que machacaban y trituraban las plantas. Los hadrosaurios más antiguos eran del tamaño de un caballo, pero sus descendientes del Cretácico superior medían hasta 10 metros (33 pies) de largo.

Sabemos lo que comían gracias a los restos vegetales fosilizados que se han encontrado en los esqueletos en la zona del estómago. También existen heces fosilizadas, y todo ello indica que su dieta incluía hojas, frutas y semillas.

El cráneo de *Corythosaurus* era notable, no solo por el hocico alargado, sino también por la prominente nariz. Las fosas nasales estaban revestidas de tejidos que generaban humedad y ayudaban a atrapar partículas del aire cuando el animal respiraba.

Los hadrosaurios se dividen en dos familias; los que presentan una cresta hueca, como *Corythosaurus*, se conocen como «lambeosaurios». Los conductos nasales de los lambeosaurios se extendían por dentro de la cresta que les coronaba la cabeza. Los paleontólogos creen que, soltando aire por esos conductos, emitían fuertes sonidos audibles a gran distancia. Probablemente eso les ayudara a mantener reunida la manada y a dar señales de aviso cuando se aproximaban predadores.

GÉNERO: CORYTHOSAURUS
CLASIFICACIÓN: ORNITISQUIOS, ORNITÓPODOS, HADROSAURIOS

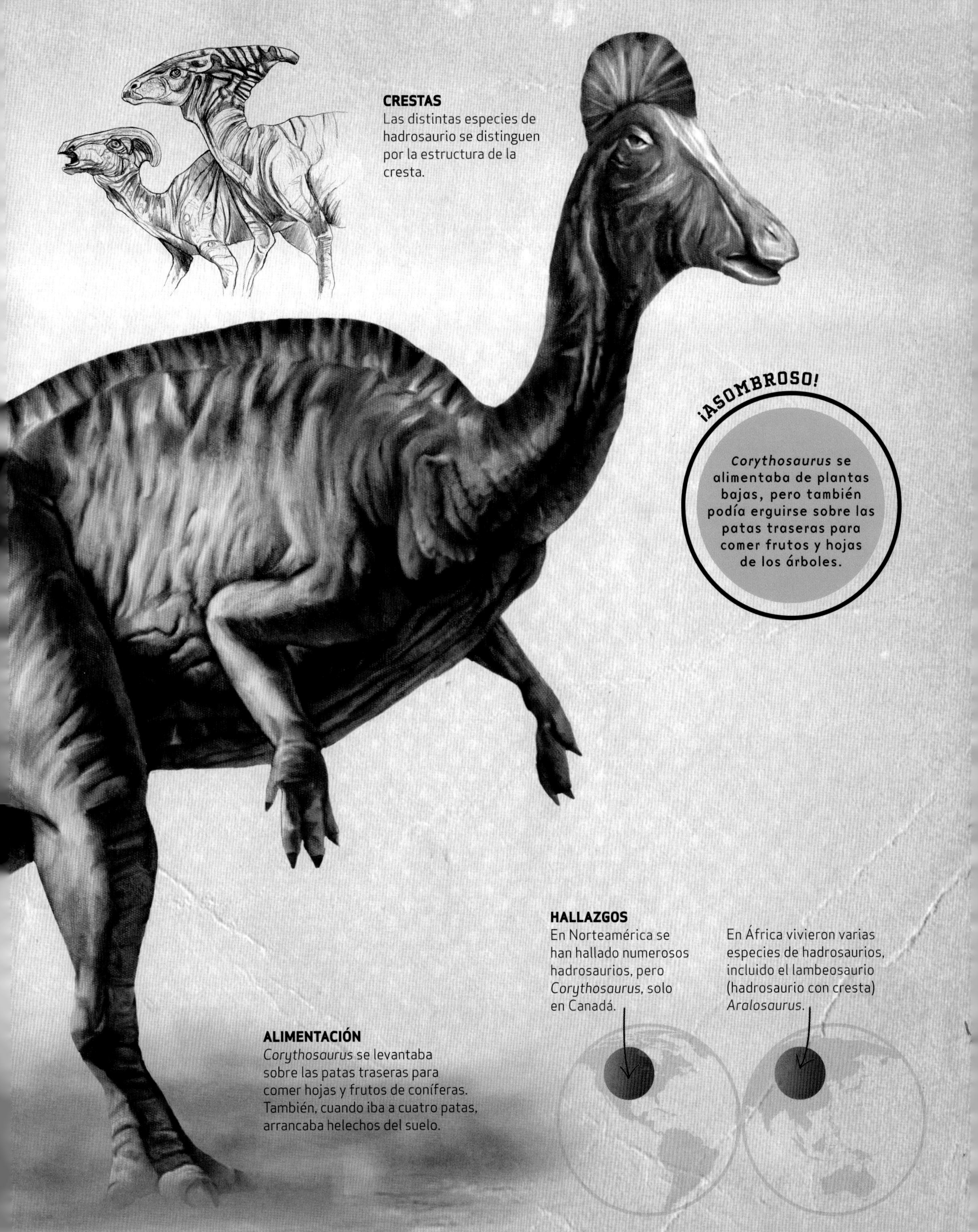

CRESTAS
Las distintas especies de hadrosaurio se distinguen por la estructura de la cresta.

¡ASOMBROSO!

Corythosaurus se alimentaba de plantas bajas, pero también podía erguirse sobre las patas traseras para comer frutos y hojas de los árboles.

HALLAZGOS
En Norteamérica se han hallado numerosos hadrosaurios, pero *Corythosaurus*, solo en Canadá.

En África vivieron varias especies de hadrosaurios, incluido el lambeosaurio (hadrosaurio con cresta) *Aralosaurus*.

ALIMENTACIÓN
Corythosaurus se levantaba sobre las patas traseras para comer hojas y frutos de coníferas. También, cuando iba a cuatro patas, arrancaba helechos del suelo.

Corythosaurus

TAMAÑO DE LA CRESTA
El tamaño de la cresta debía de depender del sexo y la edad del animal.
¡ASOMBROSO!
Aunque las patas delanteras eran relativamente cortas, parecidas a los brazos, el estudio de sus huellas revela que *Corythosaurus* andaba principalmente a cuatro patas.

El origen de las aves

Se ha debatido mucho acerca del origen de las aves. Hoy día la mayoría de los paleontólogos creen que están emparentadas con los dinosaurios carnívoros de dos patas. Ambos grupos muestran similitudes en huesos, plumas, huevos y comportamiento. Los estudios más detallados señalan a los manirraptores (grupo que incluye a los ovirraptóridos) como los antepasados directos de las aves.

HERENCIA DE REPTILES

Manirraptores y terópodos presentan muchas similitudes físicas con las aves, tal como se aprecia en este esqueleto.

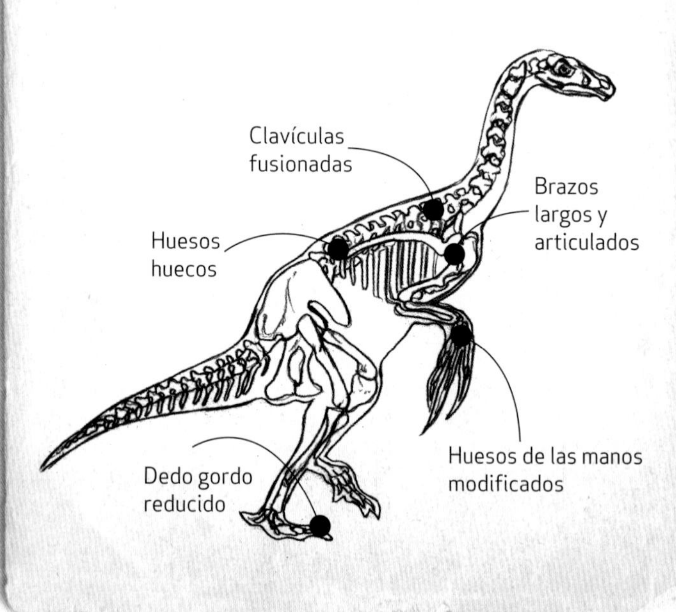

INCUBACIÓN
Algunos esqueletos de ovirraptóridos han aparecido encima de nidos, lo que indica que los dinosaurios se sentaban sobre los huevos para proporcionarles calor y ayudarlos a eclosionar.

IMITADOR DE GALLOS
El terópodo *Gallimimus* recibió este nombre, que significa «imitador de gallos», por su parecido con el avestruz.

ABRIGO DE PLUMAS
Unos huesos con pequeñas protuberancias hallados en 2007 demuestran sin lugar a dudas que *Velociraptor* tenía plumas.

LAS PLUMAS

En un principio las plumas tenían la función de mantener el calor corporal. Después pasaron a servir para volar.

Salida del cálamo de una cápsula

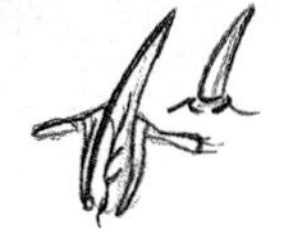

Hebras en la punta del cálamo

Formación de brotes ramificados

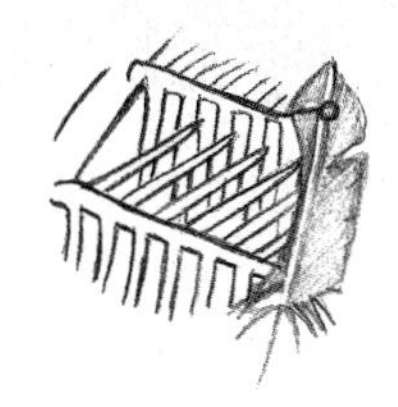

Entrelazamiento de brotes

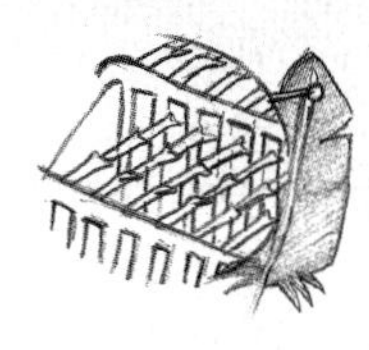

Plumas parecidas a las actuales

Beipiaosaurus *Sinosauropteryx* *Sinornithosaurus* *Caudipteryx* *Archaeopteryx*

Caudipteryx

***Caudipteryx* tenía los brazos pequeños, en forma de ala y con garras. Las plumas de la cola le ayudaban a mantener el equilibrio y le permitían identificarse ante otros miembros de la misma especie.**

Caudipteryx («cola emplumada») fue un ovirraptórido del tamaño aproximado de un pavo. Era un dinosaurio principalmente carnívoro, aunque se considera omnívoro porque, además de invertebrados, ingería vegetación. Tenía la cabeza pequeña y alta, y los ojos grandes. El hocico era corto, con un pico córneo y varios dientes diminutos y puntiagudos en la punta. Algunos de los especímenes hallados de *Caudipteryx* albergaban (piedras estomacales) en la zona de la molleja, lo que indica que podrían haberse alimentado también de semillas.

Los fósiles de este terópodo revelan que tenía el cuerpo cubierto de plumas cortas que mantenían su temperatura corporal. Los brazos estaban cubiertos de largas plumas, aunque constituían unas alas pequeñas que no les permitían volar. Los brazos en forma de alas y las plumas del extremo de la cola equilibraban el cuerpo cuando el animal corría, sobre todo en los giros.

Los manirraptores («manos que agarran») son los dinosaurios terópodos más estrechamente relacionados con las aves. Sus manos tenían tres largos dedos acabados en uñas corvas y puntiagudas. Los brazos solían doblarse en zigzag.

Los manirraptores contaban con un sistema de tejidos y articulaciones que hacían que las garras se extendieran hacia delante al estirar los brazos. También este rasgo lo comparten con las aves.

GÉNERO: CAUDIPTERYX
CLASIFICACIÓN: SAURISQUIOS, TERÓPODOS, MANIRRAPTORES

CORREDOR DE FONDO
Las largas patas, parecidas a las del ñandú sudamericano, demuestran que *Caudipteryx* era un corredor de fondo.

LARGO 1 m (3 pies)
PESO 3 kg (6,5 lb)
ALIMENTACIÓN Omnívoro

¡ASOMBROSO!

Cuantos más fósiles de dinosaurios con plumas y aves primitivas se encuentren, más información tendremos acerca del «eslabón perdido» que los separa.

ALIMENTACIÓN
Caudipteryx hurgaba con su estrecho pico en la corteza de los árboles para atrapar pequeños invertebrados.

HALLAZGOS
En todo el mundo se han hallado fósiles de manirraptores. *Deinonychus* se descubrió en Estados Unidos y *Unenlagia*, en Argentina.

Caudipteryx se halló en Liaoning, China, junto con fósiles de otros dinosaurios plumados.

Caudipteryx

¡ASOMBROSO!

Caudipteryx era un dinosaurio con el cráneo pequeño, los ojos grandes y el hocico fino rematado por un pico peludo.

COLA EMPLUMADA
Las marcas de la piel revelan que las plumas formaban un abanico en la punta de la cola.

Deinonychus

¡ASOMBROSO!

Probablemente, la punta de la cola de *Deinonychus* estaba cubierta de plumas como la de *Velociraptor*, que aunque era más pequeño ambos estaban estrechamente relacionados.

Deinonychus atacaba y se defendía con sus mortíferas garras en forma de hoz. De hecho, su nombre significa «reptil de terribles garras».

En 1964 el paleontólogo norteamericano John Ostrom y su equipo encontraron unos mil huesos de *Deinonychus* en el oeste de Estados Unidos. Además, Ostrom descubrió numerosas cáscaras de huevo bajo huesos de ejemplares adultos, lo que indica que *Deinonychus* se sentaba sobre sus huevos para calentarlos, del mismo modo que las aves actuales incuban los suyos.

Deinonychus es uno de los miembros más conocidos de los dromeosáuridos, familia de bípedos con plumas. Los dromeosáuridos aparecieron en el Jurásico medio y desaparecieron a finales del Cretácico. Ostrom fue el primero en señalar las similitudes entre *Deinonychus* y el *Archaeopteryx*, el ave más antigua que se conoce. Transformó el planteamiento de los paleontólogos con relación a los dinosaurios, sugiriendo que tenían mucho más en común con las grandes aves no voladoras (como los avestruces) que con los reptiles.

GÉNERO: DEINONICOSAURIOS
CLASIFICACIÓN: TERÓPODOS, CELUROSAURIOS, DEINONICOSÁURIDOS

LARGO 3,5 m (11 pies)
PESO 80 kg (175 lb)
ALIMENTACIÓN Carnívoro

ESQUELETO DE *LINHERAPTOR*
Este esqueleto prácticamente completo de *Linheraptor*, un pariente próximo de *Deinonychus*, se descubrió en Mongolia.

BRAZOS DE CAZADOR
Deinonychus llevaba los brazos doblados a los lados del cuerpo, pero los desplegaba con rapidez para capturar a sus presas.

HALLAZGOS
En Estados Unidos se han hallado fósiles de *Deinonychus* en rocas de 110 millones de años.

En Asia se han hallado varios deinonicosaurios, como *Microraptor* y *Linheraptor*.

Deinonychus

CRÁNEO
Deinonychus tenía la mandíbula pequeña y los dientes afilados. El hocico era estrecho, pero su mordedura, muy potente.
¡ASOMBROSO!
En Estados Unidos se han hallado varios esqueletos juntos de *Deinonychus*. Esto indicaría que cazaban en grupo o se reunían para alimentarse.

Therizinosaurus

Therizinosaurus tenía el cuerpo fuerte y los brazos largos, y dos patas traseras. Su aspecto era tan curioso que durante años no se supo cómo clasificarlo. Esqueletos completos hallados recientemente determinan que los terizinosaurios eran terópodos herbívoros.

En la década de 1940, paleontólogos de la Unión Soviética y Mongolia que trabajaban codo con codo en el desierto de Gobi descubrieron unos fósiles muy extraños. Se trataba de las extremidades anteriores de un reptil con unas garras extremadamente largas. Durante décadas el aspecto físico del animal y su relación con otros dinosaurios fue un misterio. Sin embargo, los especímenes eran tan grandes e interesantes que se reconstruyó el aspecto de la misteriosa bestia.

Al principio los restos confundieron a los investigadores cuando intentaron clasificarlos. El paleontólogo ruso Evgeny Maleev creyó que pertenecían a un reptil similar a una tortuga, y le dio el nombre de *Therizinosaurus* («lagarto guadaña»). Pero en 1950 nuevos hallazgos permitieron a los expertos identificarlo como un dinosaurio. Décadas después del primer descubrimiento se clasificó como terópodo.

Si bien los restos hallados de *Therizinosaurus* son incompletos, ha sido posible reconstruir todo su cuerpo a partir de estudios comparativos con otros dinosaurios. Probablemente tuviera un cuerpo recio y un cuello largo terminado en un cráneo pequeño.

Como los primeros dinosaurios con cadera de ave, era bípedo y tenía cuatro dedos en cada pie. Eso lo distinguía de otros terópodos, que tenían solo tres dedos. Los brazos de *Therizinosaurus* podían medir hasta 2,5 metros (8 pies) y tenían tres dedos con largas uñas: es posible que estas midieran nada menos que 1 metro (3 pies) de largo. Algunos paleontólogos están convencidos de que le servían para defenderse o en las peleas por el dominio territorial. También se sabe que *Therizinosaurus* era herbívoro, por lo que pudo utilizar las garras a modo de herramienta para cortar ramas de árbol, como hacen los perezosos actuales.

GÉNERO: TERIZINOSAURIOS
CLASIFICACIÓN: SAURISQUIOS, TERÓPODOS, TERIZINOSÁURIDOS

LARGO 10 m (32 pies)
PESO 5000 kg (11 000 lb)
ALIMENTACIÓN Herbívoro

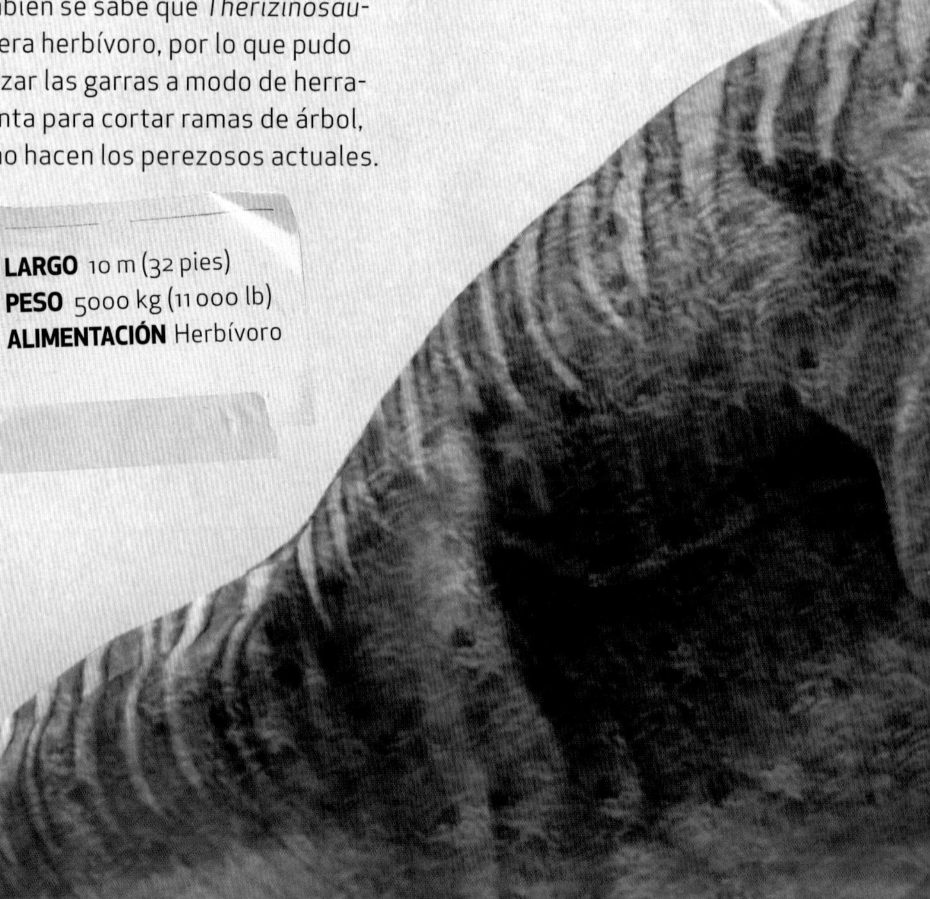

BRAZOS FUERTES
Los brazos estaban dotados de un poderoso sistema muscular que se prolongaba hasta el hombro.

HALLAZGOS
Se han hallado restos de *Therizinosaurus* en varias rocas de la región del desierto de Gobi, en Mongolia y China.

¡ASOMBROSO!

Pese a clasificarse como terópodo, *Therizinosaurus* tenía la cadera de ave, al igual que los ornistiquias, y cuatro dedos en cada pata.

DEVORADOR DE PLANTAS
Aunque pertenecía al mismo grupo que dinosaurios carnívoros como *Velociraptor*, *Therizinosaurus* se alimentaba de plantas.

Therizinosaurus

HUESOS LARGOS Y CORTOS
Conocemos la increíble longitud de los brazos de *Therizinosaurus* a raíz del descubrimiento de un grupo de huesos fosilizados. En comparación, tenía las patas y la cola cortas.

¡ASOMBROSO!

Los restos de *Therizinosaurus* están incompletos. Para reconstruirlos, los paleontólogos han estudiado dinosaurios smiliares, como *Erlikosaurus* y *Segnosaurus*.

CRÁNEO
Al no haberse hallado ningún cráneo de *Therizinosaurus*, la reconstrucción de la cabeza se basa en lo que se conoce de dinosaurios similares.
GARRAS
Las afiladas garras de *Therizinosaurus* son las más largas del mundo animal.
ESTRUCTURA DE LA CADERA
Therizinosaurus tenía una estructura de cadera parecida a la de las aves actuales. Tal vez esa estructura le ayudara a acomodar unos largos intestinos.

El misterio de la extinción

Los dinosaurios aparecieron en el Triásico y ocuparon el lugar de los sinápsidos y otros antiguos reptiles. En el Jurásico alcanzaron dimensiones gigantescas, y en el Cretácico se habían dispersado y dominaban todo el planeta. Después desaparecieron misteriosamente.

El Mesozoico comenzó hace 252 millones de años, después de que una gran extinción borrara de la faz de la Tierra a la mayoría de los sinápsidos del Paleozoico. Los reptiles fueron los vertebrados más grandes, numerosos y variados del Mesozoico. Había animales marinos, terrestres, como dinosaurios y cocodrilos, y voladores como pterosaurios y aves.

El Mesozoico terminó hace 66 millones de años del mismo modo que había empezado: con una extinción masiva. La gran desaparición del final del Cretácico dejó la Tierra prácticamente sin animales grandes.

Existen muchas teorías sobre qué ocurrió. Según una de las más extendidas, un enorme meteorito (fragmento de roca proveniente del espacio) chocó con la Tierra. Aunque no se ha probado nada, lo que sí se sabe a ciencia cierta es que una gran catástrofe provocó la desaparición de muchas especies en tierra y en el mar, lo que supuso el final de la «era dorada» de los reptiles.

IMPACTO LETAL

Se cree que un meteorito gigantesco chocó contra la Tierra y que el impacto liberó una inmensa nube de polvo y vapor, que pudo provocar un cambio climático a escala global. Otras teorías abogan por una erupción volcánica que liberó grandes cantidades de gases y ceniza. El resultado habría sido la bajada de las temperaturas en todo el mundo y la formación de lluvia ácida. A largo plazo, el polvo y la ceniza habrían provocado un efecto invernadero (calentamiento de la capa de gases que rodea la Tierra), que habría reducido la cantidad de luz solar y causado la muerte a muchos animales y plantas.

CAPA DE IRIDIO
La inusual cantidad de este raro elemento químico que se acumuló en rocas del final del Cretácico respalda la teoría de que un meteorito impactó contra la Tierra.

ABEJA FOSILIZADA
Muchos grupos de animales, incluidos los insectos, lograron sobrevivir a la catástrofe.

EL CRÁTER DE CHICXULUB

Está en la península de Yucatán (México) y lo abrió un meteorito de 10 km (6 millas) de diámetro que impactó contra la Tierra al final del Cretácico. Los científicos creen que este impacto podría haber causado la extinción de los dinosaurios.

Glosario

alga Organismo vegetal principalmente acuático que presenta gran variedad de tamaños: las hay desde microscópicas hasta gigantescas.

amniota Animal con extremidades y columna vertebral que pone huevos. El grupo incluye reptiles, aves y mamíferos.

anatomía Estructura de un ser vivo.

anfibio Animal vertebrado adaptado para vivir en tierra y en el agua.

anquilosaurio Dinosaurio acorazado del Jurásico inferior y el Cretácico.

araucaria Conífera perenne que ha sobrevivido hasta hoy como un «fósil viviente».

árbol filogenético Diagrama que muestra la relación evolutiva entre especies o grupos de especies.

artrópodo Animal invertebrado que posee un esqueleto externo sólido articulado. El grupo incluye langostas, cangrejos, arañas y ciempiés.

asfalto Sustancia líquida de color negro que constituye la fracción más pesada del petróleo crudo líquido. Es, pues, de origen natural. En determinados lugares se filtra a través del suelo y sale a la superficie.

bacteria Organismo unicelular microscópico. Se encuentran bacterias en prácticamente todos los ambientes de la Tierra.

bípedo Dicho de un animal, que anda a dos pies o dos patas.

branquias Órganos de animales acuáticos que les permiten «respirar» obteniendo oxígeno del agua y expulsando dióxido de carbono.

buche En las aves, algunos dinosaurios y unos cuantos animales más, bolsa del esófago donde se guarda y reblandece la comida antes de la digestión.

camuflaje Colores y dibujos de la piel que permiten a los animales confundirse con el entorno para pasar desapercibidos.

carnívoro Organismo cuya fuente principal de nutrientes es la carne animal.

carroña Animales muertos de los que se alimentan los carroñeros.

cartílago Tejido flexible y elástico que protege las articulaciones y ofrece sostén a determinados órganos de los animales.

cavidad Agujero.

cefalópodo Molusco que vive en el agua y suele tener brazos o tentáculos, como el calamar, la sepia y el pulpo.

ceratópsido Dinosaurio herbívoro con pico. Los ceratópsidos, como *Triceratops*, florecieron en el Cretácico.

cícada Planta de semillas que suele tener un tallo leñoso y una corona de hojas duras y perennes.

cinodontes Reptiles similares a mamíferos que aparecieron en el Pérmico superior.

conífera Árbol de hojas en forma de aguja y con semillas que crecen en piñas. La mayoría de las coníferas son perennes (no pierden las hojas).

coprolitos Heces fosilizadas.

cuadrúpedo Animal que se desplaza a cuatro patas.

depredador Animal que se alimenta de otros animales (sus presas), a los que captura o caza.

diente canino Cada uno de los dientes largos y puntiagudos que hay a ambos lados de la boca. Colmillo.

edades de hielo También llamadas «glaciaciones». Etapas de la historia geológica de la Tierra en las que las temperaturas cayeron en picado en todo el planeta y grandes superficies quedaron cubiertas de placas de hielo. A lo largo de la historia de la Tierra se han producido varias glaciaciones, algunas de las cuales duraron varios millones de años. La más reciente terminó hace unos 11 700 años.

embrión Fase primeriza de un animal, cuando aún está dentro del huevo o el útero de su madre.

especie En biología, en la clasificación de los seres vivos, categoría superior a la de raza e inferior a la de género. Los organismos de una misma especie comparten características y pueden aparearse entre ellos para obtener descendencia sana.

espina neuronal Parte de los vertebrados que, en algunos dinosaurios, se extendía en forma de largas espinas que aguantaban una vela o una giba de grasa sobre el lomo.

estegosaurios Grupo de grandes dinosaurios herbívoros acorazados, como *Stegosaurus*.

evolución Proceso de cambio y adaptación paulatinos de los seres vivos a lo largo de generaciones.

extinción Desaparición de una especie.

fósil Rastro de un organismo que se ha conservado desde la prehistoria. Las partes sólidas de los animales, como caparazones, dientes o huesos, se transforman a lo largo de millones de años en una sustancia pétrea mediante un proceso llamado «fosilización». Los fósiles también pueden ser marcas dejadas por un organismo, como huellas, heces (coprolitos) o impresiones de la textura de la piel.

gastrolito Piedra que determinados animales engullen a propósito para triturar la comida en el sistema digestivo. Se han hallado fósiles de dinosaurio con gastrolitos.

ginkgo Planta sin floración que data de hace unos 270 millones de años, lo que la convierte en un auténtico «fósil viviente».

Gondwana Supercontinente del hemisferio sur que se separó a finales del Triásico.

hadrosaurios Dinosaurios con pico de pato que pertenecen al orden de los ornitisquios.

heces Residuos sólidos eliminados por un animal.

herbívoro Animal que obtiene sus nutrientes de las plantas y otro tipo de vegetación.

ictiosaurios Grupo de reptiles extinguidos que se adaptaron a la vida en el agua. Fueron abundantes durante buena parte del Mesozoico.

iguanodontes Género de dinosaurios herbívoros de los que formaban parte los hadrosaurios y que se diseminaron y adoptaron distintas formas en el Cretácico.

invertebrados Animales sin columna vertebral.

lambeosaurios Hadrosaurios cuyas fosas nasales se extendían por la cresta que les coronaba la cabeza. Uno de ellos fue *Lambeosaurus*.

Laurasia Supercontinente del hemisferio norte que se separó a finales del Triásico.

ligamento Banda resistente de tejido que mantiene unidos determinados órganos internos y conecta los huesos en animales y en las personas.

mamífero Vertebrado de sangre caliente cuyas crías se alimentan de la leche que secretan las glándulas mamarias de la madre.

manirraptores Grupo que incluye dinosaurios como los terizinosaurios y los ovirraptóridos, así como a las aves.

marsupial Animal cuyas crías acaban de desarrollarse en una especie de bolsa que tiene la madre, como el canguro.

médula espinal En los vertebrados, la larga maraña de nervios que conectan el cerebro con el resto del cuerpo.

membrana Fina capa de un tejido que suele ser muy terso.

meteorito Objeto espacial de origen natural, como un fragmento de roca, que choca contra la superficie de la Tierra.

molleja Parte muscular del estómago de las aves y otros animales en la que se deshace la comida para su posterior digestión.

moluscos Gran grupo de animales invertebrados como el caracol, la babosa, el calamar y el pulpo.

nutrientes Sustancias vitales que se obtienen de los alimentos y son imprescindibles para el crecimiento.

omnívoro Organismo que obtiene sus nutrientes de plantas y otro tipo de vegetación y también de la carne.

organismo Forma de vida, ser vivo.

ornitisquios Uno de los dos órdenes principales de dinosaurios (el otro son los saurisquios), basado en la evolución de los huesos de la cadera hacia una estructura como la de las aves. Aun así, las aves forman parte del orden de los saurisquios.

osificar Endurecerse como un hueso.

ovirraptóridos Pequeños dinosaurios terópodos hallados en Mongolia, como *Oviraptor* y *Caudipteryx*.

paleontólogo Científico que estudia la vida prehistórica, por ejemplo, restos fosilizados.

Pangea Supercontinente que incluía todas las masas continentales de la Tierra a principos del Mesozoico.

pez pulmonado Pez que respira mediante uno o dos pulmones.

placodermos Primeros peces acorazados.

plesiosaurios Grupo de reptiles extinguidos que se adaptaron a vivir en el agua.

pliosaurios Los plesiosaurios de cuello corto, como *Liopleurodon*.

pterosaurios Reptiles voladores cuyas extremidades anteriores han evolucionado en forma de alas. Vivieron en el Mesozoico.

ranforrincoideos Pterosaurios con pico, dientes puntiagudos y una larga cola terminada en una capa de piel en forma de rombo.

reptil Vertebrado amniota con el cuerpo cubierto de escamas. Existen muchos grupos de reptiles extinguidos, incluidos los dinosaurios.

sangre caliente Se refiere a los animales cuya temperatura corporal, controlada por el propio organismo, se mantiene constante.

sangre fría Se dice que son de sangre fría los animales cuya temperatura corporal varía en función de la temperatura ambiente, como las ranas y los sapos.

saurisquios Uno de los dos órdenes principales de dinosaurios (el otro es el de los ornitisquios), basado en la evolución de los huesos de la cadera a la estructura propia de los reptiles. Las aves pertenecen a este orden.

sauropodomorfos Grupo de dinosaurios herbívoros de cuello largo, como *Plateosaurus*.

supercontinente Gran masa continental única.

tendón Banda dura de tejido que suele unir los músculos a los huesos.

terápsidos Reptiles parecidos a los mamíferos que incluyen algunos antepasados de estos.

terizinosaurios Dinosaurios que comenzaron siendo carnívoros pero con el tiempo se convirtieron en herbívoros.

terópodos Grupo de dinosaurios sobre todo carnívoros como *Tyrannosaurus rex*.

tetrápodos Vertebrados con cuatro extremidades.

titanosaurios Grupo de dinosaurios saurópodos extremadamente grandes del que formaron parte los animales más gigantescos y pesados que hayan pisado jamás la Tierra, como *Argentinosaurus*.

tórax En un organismo, la región del cuerpo que queda entre la cabeza y el abdomen.

vertebrado Organismo con columna vertebral.

vértebras Los huesos que conforman la columna vertebral.

Índice analítico

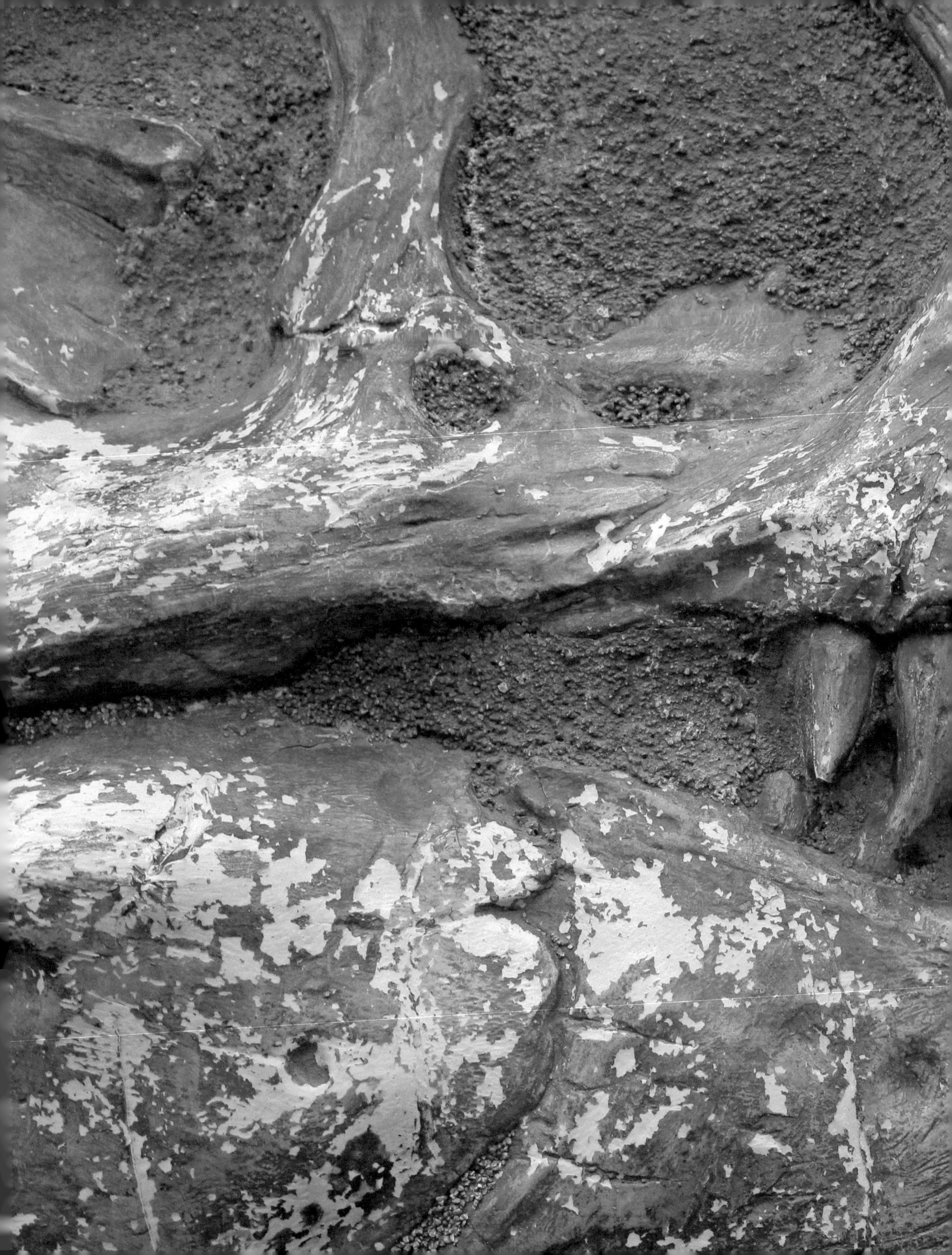